Historia de un éxito: Mercadona

Historia de un éxito: Mercadona

Las claves del triunfo de Juan Roig

JAVIER ALFONSO

CONECTA

Los libros de Conecta están disponibles para promociones y compras
por parte de empresas, con condiciones particulares para grandes cantidades.
Existe también la posibilidad de crear ediciones especiales, incluidas con
cubierta personalizada y logotipos corporativos, para determinadas ocasiones.

Para más información, póngase en contacto con:
edicionesespeciales@penguinrandomhouse.com

Papel certificado por el Forest Stewardship Council®

Primera edición: abril de 2014
Séptima reimpresión: octubre de 2025

© 2014, Javier Alfonso
© 2014, Penguin Random House Grupo Editorial, S. A. U.
Travessera de Gràcia, 47-49. 08021 Barcelona

Printed in Spain – Impreso en España

ISBN: 978-84-15431-94-7
Depósito legal: B-3.258-2014

Compuesto en M. I. Maquetación, S. L.
Impreso en Arcángel Maggio Europa S. L.

CN 3 1 9 4 D

A Eugenia, Olivia y Lucas
A mis padres

Índice

Prólogo

«Los empresarios que crean riqueza y empleo son más relevantes para la historia que muchos políticos y muchos generales.» Cuando apunté la frase de John D. Rockefeller en una conferencia que dio Emilio Cuatrecasas me vino a la mente Juan Roig Alfonso, quien lleva camino de pasar a la historia de la Comunidad Valenciana como la figura más relevante del final del siglo XX y principios del XXI. Poco después, recibí la propuesta de escribir un libro sobre Mercadona, una empresa familiar que me ha fascinado desde que en 1992 empecé a informar sobre ella, una compañía de supermercados cuyo líder huía de los focos y hacía cosas tan infrecuentes como prescindir de las ofertas o hacer fijos, de golpe, a sus decenas de miles de trabajadores.

El primer encuentro personal que tuve con Juan Roig, en los albores del siglo XXI, se produjo en su oficina, que resultó ser una furgoneta acondicionada como sala de reuniones en la que despachaba con su núcleo duro mientras viajaba de supermercado en supermercado. Allí esperaba a ser entrevistado para el diario *Cinco Días* un Juan Roig encantado de sorprender a su invitado. Lo acompañaban varios asesores de prensa y todo su equipo directivo, cuya presencia no ayudaba a crear el clima de confianza que las entrevistas requieren. En aquella furgoneta encontré a un líder amable pero seco y directo en las respuestas, sin pelos en la lengua, que trataba de superar la incomodidad que le producía una situación a la que no estaba acostumbrado. El presidente de Mercadona estaba asumiendo su rol como empresario de referencia dentro y fuera de la Comunidad Valenciana, dejando atrás la etapa de liderazgo en la sombra que había pretendido llevar a cabo, a la manera de Isidoro Álvarez o de Amancio Ortega. Hoy Juan Roig sigue siendo seco y directo, no le han crecido pelos en la lengua y ha aprendido a desenvolverse ante los focos. Su empresa es noticia, pero él lo es aún más, convertido en líder empresarial y gurú de la economía.

Acepté la propuesta de redactar este libro pensando que sería un trabajo sencillo gracias a mi experiencia de más de veinte años escribiendo sobre Mercadona, pero pronto me di cuenta de que era una tarea inacabable. La historia de Juan Roig, sin la que no se entendería su obra maestra, y la de su empresa caleidoscópica iban a suponerme muchas horas de estudio, de entrevistas, de esfuerzo de síntesis y de cierta frustración por no poder abarcarlo todo. Muchas cosas quedan fuera en aras de una lectura sencilla, entre ellas las cifras, que son de sobra conocidas y ampliamente accesibles. Baste decir que hablamos de una compañía que tiene 74.000 trabajadores, y que en 2013 registró unas ventas de 18.034 millones de euros y un beneficio de 515 millones.

Lo que el lector va a encontrar en las páginas siguientes es una explicación del fenómeno Mercadona alejada de estudios teóricos, que los hay muy buenos en universidades de todo el mundo, con una primera parte sobre la vida de Juan Roig, su entrada en Mercadona y sus primeros años al frente de la misma hasta que introdujo el denominado «modelo de Gestión de Calidad Total» que catapultó a la empresa al liderato. La segunda parte del libro adopta la estructura de los cinco componentes de los que tanto habla Juan Roig, a saber: «jefe», trabajador, proveedor, sociedad y capital, pero no para explicar el modelo en sí, que también está analizado con profusión, sino para contar los secretos del coloso y de su líder desde todos los ángulos.

El lector avispado no habrá pasado por alto que el segundo apellido del presidente de Mercadona es el mismo que el primero del autor de este libro y se preguntará si tenemos algún parentesco. Lo tenemos, si bien lejano: un bisabuelo suyo fue tatarabuelo mío, en el siglo XIX, pero su árbol genealógico era tan frondoso que resulta imposible conocer todas sus ramas. En otras palabras, conozco a Juan Roig por ser quien es y él me conoce porque escribo sobre Mercadona, pero no mantenemos una relación familiar.

Para terminar, quiero agradecer a mis hijos el sacrificio de tantos fines de semana sin padre; a mi esposa, su apoyo permanente y la primera revisión crítica de la obra; a mi editor, la oportunidad de este reto apasionante, y a todas las personas que han aportado su testimonio quiero reconocerles su contribución y reiterarles mi agradecimiento, con la esperanza de que encuentren aquí la mayoría de sus confidencias.

PRIMERA PARTE
Los orígenes

El 22 de septiembre de 2011 no fue un jueves cualquiera en la isla de Fuerteventura. Desde las cinco de la mañana, decenas de personas hacían cola en el polígono industrial de La Hondura, situado un kilómetro al norte de Puerto del Rosario, y la afluencia de vehículos obligó a la Guardia Civil a enviar varias patrullas para ordenar el tráfico. La cola tenía parangón con las que se forman a las puertas de los Apple Store el día que son inaugurados o cuando la multinacional lanza uno de sus ingenios, pero para el lanzamiento del iPhone 4S faltaban dos semanas y en La Hondura no hay ninguna tienda Apple. Lo que había generado el desvelo de muchos majoreros era la inauguración de un supermercado, un Mercadona, del que habían oído hablar o bien conocían por sus desplazamientos a otras islas o a la Península. Cientos de personas desbordaron el aparcamiento con sus vehículos, arramblaron con todo lo que había en los estantes del supermercado y dejaron estupefacto al personal, que tuvo que emplearse a fondo en la tarea de reposición.

La escena de aquella cola interminable en el exterior del establecimiento de La Hondura el día de apertura se viene repitiendo desde entonces en las localidades donde la cadena valenciana se implanta por primera vez, como Ansoáin (Navarra), Laredo (Cantabria) o Mos (Pontevedra), esta última a tiro de piedra de Portugal.

Clientes vacacionales de sus supermercados llevan años preguntándose cuándo llegará al País Vasco, los vendedores de pisos junto a un Mercadona hacen valer su ventaja y los alcaldes de pueblos y ciudades de toda España facilitan su implantación para elevar la categoría de la población. Mercadona no es un supermercado cualquiera; en ocasiones, engancha. La empresa de Juan Roig es, en cierto sentido, el Apple de la distribución española. No diseña tecnología, pero ofrece decenas de productos novedosos cada año que puede considerar propios aunque no los fabrique; no necesita promoción porque se la hacen sus clientes; tiene sus frikis, adeptos incondicionales; sus aperturas son un acontecimiento local, y las comparecencias en público de su presidente tienen una repercusión, a escala nacional, comparable a la que tenía Steve Jobs en sus presentaciones para todo el mundo. No se habla de otra cosa.

¿Cómo ha conseguido llegar a la cima una de las miles de pequeñas empresas locales de distribución que existían en España recién estrenada la democracia? La respuesta da para un libro, que puede comenzar por la pista que Juan Roig ofreció el mismo día de la inauguración del supermercado de Fuerteventura, pero muy lejos de allí, en su ciudad natal. Esa mañana, el club de baloncesto Valencia Basket presentaba una equipación para la temporada entrante en la que no aparecía ningún patrocinador. En su lugar, en el centro de la camiseta naranja, resaltaba un mensaje que el mecenas del club, Juan Roig, había convertido en un dogma: «Cultura del esfuerzo». El protagonista de esta historia conoce como nadie lo que puede lograrse con esfuerzo porque en su época de estudiante no lo practicó. La suya sería la historia de un legendario hombre hecho a sí mismo si no fuera porque, aun habiendo nacido en la posguerra, nunca pasó necesidad y contó con la protección familiar durante una infancia y una juventud sin estrés. Cuando Juan Roig decidió hacerse a sí mismo frisaba ya los treinta. Descubrió entonces el placer de la independencia y la suerte de que la inspiración le pille a uno trabajando. Desde entonces no ha parado.

Juan José Roig Alfonso vino al mundo el 8 de octubre de 1949, con cinco hermanos mayores y otro que nacería un año después con una discapacidad intelectual producida en el parto al enrollársele en el cuello el cordón umbilical. Con tanta gente en casa y no siendo el primogénito ni el benjamín, se entiende que Juan no fuera un niño mimado, sino uno más en la familia de Francisco Roig Ballester y Trinidad Alfonso Mocholí. Nació en la Alquería de Rois (apellido del anterior propietario), situada en el camino de Moncada de una pedanía de Valencia llamada Poble Nou. Allí vivió parte de su infancia, en un hogar marcado por las personalidades contrapuestas y complementarias del padre, el temperamental Paco, y la madre, una Trini afable pero con el remango necesario para criar a siete hijos. El primogénito, Paco, era diez años mayor que Juan. En medio, estaban Amparo, Vicente, Trini y Fernando. Detrás de Juan, el pequeño Alfonso.

Proveniente de una familia de comerciantes y ganaderos, Paco Roig Ballester, huérfano desde joven y criado por su tío Vicente, se había casado con Trini durante la Guerra Civil y se dedicó a la ganadería porcina, primero junto con su tío y luego con uno de sus primos. Era un negocio boyante el de la alimentación en una época en la que muchas familias venidas a menos pero con patrimonio entregaban joyas, vajillas y vestidos a cambio de carne. Paco Roig era un fenicio, es decir, un negociante hábil, tenaz y, en ocasiones, ventajista. De trato poco exquisito, era temido y respetado por quienes comerciaban con él. Juan heredó de su padre la osadía y el gusto por mandar, así como cierto mal genio. Su hermano Paco se parecía a su padre y heredó la simpatía natural de su madre, que le abrió muchas puertas. No solo el diferente carácter forjó la personalidad de ambos hermanos, sino también su formación, que fue distinta y desigual. Los dos iban a ser empresarios, si bien con estilos opuestos e incompatibles.

La de Juan Roig fue una familia feliz, aunque no fuera la misma a partir de 1960, cuando una meningitis acabó con la vida de su hermano Vicente cuando este tenía solo dieciséis años. Juan no había cumplido los once. Cuatro años antes, todos los hermanos excepto Paco habían estado a punto de perecer en un incendio que se produjo en un almacén textil del centro de Valencia bajo el piso en el que estaban al cuidado de una chica del servicio. Era un día festivo y había poca gente por la calle, pero la fortuna quiso que cuatro marines de un barco estadounidense atracado en el puerto pasaran por allí y los rescataran del edificio envuelto en humo (el suceso lo recoge Francisco Pérez Puche en su libro *Americanos en Valencia*). A la edad de seis años, Juan Roig protagonizaba la primera portada de su vida, en el diario *Levante*, acompañado por sus hermanos, los marines, la cuidadora y la portera del edificio.

Paco hijo empezó a trabajar con el padre cuando tenía dieciséis años, poco después de que este último comprase el matadero La Unión en la Pobla de Farnals, un pueblo cercano, para ampliar su negocio de ganadero a carnicero. Esa adquisición supuso el nacimiento de Cárnicas Roig, con una primera tienda en la que durante años despachó la madre. Algo más tarde, un empresario, Ramón Guanter, no pudo pagar sus deudas a los Roig y les cedió su fábrica de embutidos en Tavernes Blanques, otra localidad de la zona, además de una finca de naranjos situada no muy lejos de allí, en Bétera. La fábrica, un edificio en el que también había una carnicería, es la actual sede social de Mercadona, que alberga en sus bajos uno de los supermercados primigenios. En la finca de Bétera, los Roig construyeron una casa con piscina en la que pasaron muchos veranos. Años después, en los ochenta, los hermanos constituyeron la Fundación Roig Alfonso para la integración sociolaboral de discapacitados y ubicaron allí un centro, en el que reside Alfonso.

Al tiempo que Cárnicas Roig arrancaba, Fernando y Juan empezaban su etapa escolar con los dos años de diferencia que los separan. El dato cronológico es importante porque cuando Juan se incorporó a la empresa familiar, en 1975, su hermano mayor llevaba veinte años en ella. El colegio era el San José, más conocido como el de los Jesuitas, donde ya estudiaba Vicente. Juan acudía a clase, pero lo que se dice estudiar, estudiaba más bien poco. Tras el fallecimiento de Vicente, Fernando y Juan fueron enviados internos al colegio La Concepción, en Ontinyent, regido por la orden de los franciscanos. Ontinyent es una industriosa ciudad interior del sur de la provincia de Valencia de clima bastante más frío y seco que el de la capital. Bajo la estricta disciplina de los franciscanos, Juan se empapó de valores como el respeto, la libertad, la responsabilidad y la ayuda al prójimo, pero allí forjó, sobre todo, una estrecha relación fraternal con Fernando que perdura. Alejados de la familia durante los dos años escolares en el internado, ambos hermanos solo se tenían el uno al otro para solucionar sus problemas, y en adelante se tuvieron el uno al otro en cada conflicto familiar y en cada dificultad económica, en este caso de Fernando, cuyo éxito en los negocios no fue tan fulgurante como el de Juan.

Acabada la etapa escolar sin calificaciones de las que presumir, Juan decidió en 1968 matricularse en la Facultad de Ciencias Económicas y Empresariales de la Universidad de Valencia, recién creada en las modestas aulas de un convento del barrio del Carmen. Allí conoció al amor de su vida, Hortensia Herrero, estudiosa y muy disciplinada, hija de militar, a la que era más fácil ver en la biblioteca que en el bar. Lógicamente, Juan empezó a frecuentar la biblioteca, pero para merecer a Hortensia tuvo que hacer algo más, tuvo que estudiar, lo que lo llevó a licenciarse con un expediente aceptable aunque sin llegar al nivel de la joven, con la que se casaría al acabar juntos la carrera en 1973. Completó sus estudios con el Programa de Alta Dirección de Empresas de IESE y pasó por la

Escuela de Altos Ejecutivos de Antonio Ivars, de la que salió con una idea que transformó en el *leitmotiv* de su filosofía empresarial: la que denomina «verdad universal de la reciprocidad», que consiste en primero dar, luego pedir y en tercer lugar exigir. Según dijo Juan Roig en una ocasión, lo de dar antes de pedir se lo enseñó su madre; la tercera parte, la exigencia, la añadió él, y es una de las claves del éxito de Mercadona.

La filosofía empresarial de Juan germinó durante su etapa universitaria y de posgrado, pero no tanto por las materias curriculares como por su afición a la lectura de libros de autoayuda y *management*. Uno de los primeros fue *El pensamiento lateral*, de Edward de Bono, un clásico sobre la resolución de problemas y la generación de nuevas ideas que le ha servido para tomar decisiones rompedoras con la rutina del sector de la distribución. Desde entonces, ha leído decenas de libros con propuestas para reconducir tanto empresas como la vida misma, de los que extrae lo más valioso y lo pone en práctica inmediatamente. Fue con esos manuales con los que modeló la personalidad de líder que llevaba en los genes. En Mercadona revisan todos los libros de *management* y autoayuda de cierta relevancia que se publican en el ámbito editorial español y anglosajón. Juan Roig no los lee todos, no podría, pero tiene un equipo que selecciona para él lo más interesante de cada uno. Si hay alguna idea que pueda servir al modelo de Mercadona, se estudia en el comité de dirección y se incorpora como una perla al collar, según la metáfora de uno de los gurús que han inspirado a Juan Roig, el cardiólogo brasileño Lair Ribeiro, autor de *El collar y las perlas*. Uno de los últimos libros que ha leído es *Start-up Nation*, escrito por Dan Senor y Saul Singer, sobre el denominado «milagro económico» de Israel gracias a la eclosión de miles de emprendedores. Otras obras que han marcado a Juan Roig son *Los siete hábitos de la gente altamente efectiva*, de Stephen R. Covey; *Coronando al cliente*, de Feargal Quinn, fundador de la cadena de supermercados irlandesa Superquinn; *La isla de los cinco faros: Las cinco claves de la comunicación*, de Ferrán Ramón-Cortés; *El caballero de la armadura oxidada*, de Robert Fisher, y, por supuesto, *Modelo de calidad total de Toyota*, de Alberto Galgano. Además de aplicarlos en su vida y en la empresa, Juan Roig recomienda a sus alumnos los libros que a él le han ayudado o los regala, como hizo con *Nunca renuncies a tus sueños*, de Augusto Cury, que repartió a las compañeras de colegio de su hija Juana. A los trabajadores que Mercadona contrata les regala dos pequeñas obras sobre cómo tratar al cliente, que son de obligada lectura como parte de su formación.

El joven Juan Roig no fue un estudiante de notas brillantes, pero había desarrollado como nadie la capacidad de absorber, ordenar y poner en práctica aquellos modos de conducta que habían servido a otros para mejorar en lo personal y en lo social. Su gran descubrimiento fue una mezcla de teorías ajenas que desembocaron en la verdad universal de la reciprocidad, evolución del candoroso principio de que todo el mundo es generoso (primero dar, luego pedir...), gracias al tercer elemento, el de exigir. Lo esencial de su propuesta, desarrollada a lo largo de los años por el equipo directivo de Mercadona, es que si la empresa trabaja en pro de quienes se relacionan con ella, empezando por los trabajadores, tendrá un retorno en forma de beneficios, que es el objetivo de sus propietarios y la garantía de la supervivencia de la compañía. No es que hubiera inventado la rueda, pero sí tuvo el mérito de demostrar en la práctica que las teorías de lo que después se popularizó en Europa con la denominación de «responsabilidad social corporativa» daban resultado.

Cuando Juan se incorporó a Cárnicas Roig en 1975, la semilla de Mercadona ya estaba sembrada en forma de ultramarinos, a partir de la reconversión de las carnicerías que la empresa había ido abriendo en cada matadero o fábrica de embutidos, incluidas dos en Sevilla. Los Roig querían algo parecido a los supermercados Esselunga que habían visto en Italia. Esta cadena se cruzará más adelante en el camino de Mercadona, que estuvo a punto de comprarla. El cambio fue tan sencillo como incorporar conservas, bebidas y otros productos a la oferta de carne. El éxito sorprendió a los Roig, que habían rotulado los establecimientos como Súper Mercadona, combinando las palabras *mercat* y *dona* (mercado y mujer), de acuerdo con la mentalidad de la época. Con su título de licenciado en Económicas bajo el brazo, Juan entró con ideas frescas, como la posibilidad de aplazar pagos a los proveedores para financiar la actividad, tal como hacían las cadenas de distribución que empezaban a instalarse en España, y con ideas románticas como que había que procurar la felicidad de los clientes y el bienestar de los trabajadores. Su padre y su hermano Paco, más prosaicos, arrugaban la frente. El negocio de supermercados crecía tanto que la familia decidió segregarlo en una nueva empresa, Mercadona S. A. El primer logotipo era una cesta más artesanal que la actual que en su interior llevaba las palabras «Merca» «Dona», una encima de la otra. Lo diseñó la agencia valenciana Publipress, fundada por el periodista Vicent Ventura y cuyo director de arte era el escultor Andreu Alfaro.

Era el año 1977 y aquello prometía, pero entonces surgió el cisma. Juan quería liderar un proyecto, pero él era el *xiquet*, y ni su padre ni su hermano mayor iban a confiar en el recién llegado cuando ellos llevaban más de dos décadas dirigiendo la compañía. En opinión de ambos, la carrera de Económicas estaba muy bien para ser director financiero, pero para mandar lo que contaba era la experiencia. Así que, efectivamente, nombraron a Juan director financiero. Este, que contaba con el respaldo de Fernando, se plantó, no quería ese puesto; pero su padre le dijo que era eso o a la calle. Y Juan Roig acabó en la calle, despedido por su propio progenitor.

La situación hay que ponerla en el contexto de una familia con mucho temperamento y una cultura ancestral que otorgaba la preeminencia al primogénito. Paco Roig padre estaba a punto de jubilarse y el *hereu* trataba de asegurarse el mando en un momento en que las cosas empezaron a torcerse, con problemas financieros en Cárnicas Roig y en la fábrica de azulejos Pamesa, de la que se hizo cargo Fernando, el quinto hijo, porque nadie la quería. Pamesa había sido fundada en 1973 en Castellón por Paco Roig y un grupo de amigos naranjeros, siguiendo la estela de grandes empresarios citrícolas que en los años sesenta y setenta invirtieron el excedente de su negocio exportador en fábricas de baldosas cerámicas. La experiencia fue desastrosa y la empresa se la quedó el patriarca de los Roig, que ni pudo hacerla rentable ni consiguió venderla. Al final, Fernando asumió el reto en 1977 y tardó una década en sacarla adelante.

Juan seguía con la idea de los supermercados, le habían regalado la independencia y estaba en paro, así que decidió hacerse empresario. Emprendedor, lo llamarían ahora. Los emprendedores de entonces no tenían las redes de apoyo que hay en la actualidad, pero sí lo más importante, una idea, y la de Juan Roig era montar una cadena de supermercados que iba a ser la competencia de Mercadona. «Cuando tengáis una idea no os va a apoyar nadie. Es más, van a decir que estáis locos. Los apoyos llegarán cuando llegue el triunfo. Muerto el toro, todos quieren ser Manolete.» Así explicó años después el empresario la soledad que ha sentido en varios momentos de su vida. La competencia de Mercadona se iba a llamar Supermercados 2001 y para su primer establecimiento escogió la calle Senyera, en el barrio de Monteolivete de Valencia. No estuvo solo. Lo acompañaron varios jóvenes empleados de Mercadona y de Cárnicas Roig a los que ofreció marcharse con él, entre ellos Manuel de Juan y Manuel Llorente. También fichó a la que era su secretaria en Cárnicas Roig, Vicen Balaguer, quien sigue siendo su asistente personal.

La aventura en solitario no iba a durar mucho. En 1981, Juan convenció a sus hermanos de que lo mejor era repartir los negocios. Paco, que se había ido a Guinea Ecuatorial a probar fortuna, se quedaría con la cada vez menos rentable Cárnicas Roig cuando se jubilase su padre, y Amparo, Trini, Fernando y Juan compraron Mercadona, que contaba con ocho establecimientos en Valencia y alrededores. Los dos de Sevilla se quedaron en Cárnicas Roig y se cerraron. La adquisición les salió barata, menos de 300 millones de pesetas, que era la deuda que tenía la empresa. El acuerdo no fue pacífico y abrió una brecha en la relación familiar que tardó algunos años en cerrarse. Paco volvió a Guinea y su padre intentó zanjar el problema de Cárnicas Roig con un cierre por jubilación de los que la ley contemplaba para los autónomos, con despidos sin indemnización. Paco Roig padre era autónomo, pero tenía 700 empleados, y el gobierno de Felipe González lo obligó a reabrir la empresa al considerarlo abuso de ley. El hijo volvió de Guinea en 1987 y un año después vendió Cárnicas Roig a un grupo de empresarios y cajas de ahorros por 1.000 millones de pesetas. La empresa desapareció antes de acabar el siglo.

Así comenzó la nueva etapa de Mercadona, bajo la presidencia de Fernando y la batuta, a veces fusta, de un Juan Roig que ha triunfado a base de no dejar de dar vueltas al modelo de empresa que tenía en mente. «Quien tiene un modelo tiene un tesoro», ha dicho en alguna ocasión. Lo difícil en esta empresa no es entender el modelo, sino seguir el paso de su dueño. Se dice que lo único estable de Mercadona es el cambio. El propio Juan Roig lo reconoce, pero lo justifica con el símil de quien conduce un coche. «Si ves a una vaca en medio de la carretera, o das un volantazo o te comes la vaca», afirma este conductor temerario, que en 1993 se salió de la carretera y tomó un atajo por el que va más rápido pero que está lleno de vacas. Podría haber seguido por la autopista de la distribución, gastando más gasolina y pagando unos peajes cada vez más altos, pero prefirió la aventura, hacer camino al andar y esquivar rumiantes. Los trabajadores no ganan para sustos y los proveedores se preguntan en qué consistirá la siguiente rectificación, porque si algo no ha dejado de hacer Juan Roig en su trayectoria profesional es rectificar, lo cual es una virtud y no un demérito. Los juzgados de lo Mercantil están llenos de cadáveres de empresas quebradas por el empecinamiento de su dueño en mantener una decisión a todas luces errónea, por *mantenella* y no *enmendalla*. Eso en Mercadona no va a pasar mientras él esté al frente. Ni el liderazgo ni la edad han quitado a su presidente un ápice de ambición. Le gusta repetir que en su empresa hay muchas cosas que mejorar. «Podemos mejorar un 70 por ciento», exagera. Es como esas grandes máquinas con muchos tornillos, que cuando están todos apretados aún es posible arroscar más algún otro, y luego otro, y otro más, porque a la pieza que parece ajustada le cabe siempre una nueva vuelta de tuerca.

Mercadona funciona como un ejército. Si el general dice: «¡Giro a la derecha!», los que están a su mando deben ir en esa dirección, aunque sea la equivocada. Para facilitar la armonía, tienen un vocabulario propio que ayuda a marcar el paso porque permite a todos identificar las estrategias. Se trata de un conjunto de términos castellanos y valencianos, inventados o con un nuevo significado, que el personal de la compañía utiliza como si estuviesen en el diccionario de la Real Academia Española. Desde «jefe» (así se denomina internamente en Mercadona al cliente), hasta *interproveedor*, palabra que emplean con asiduidad los medios de comunicación, pasando por *totaler*, tornillo, propietario, efecto Brad Pitt, *democionar*, las estrategias (del ocho, delantal, cereales, girasoles), chollo, ladrillo, *Pa, oli i gel*... El inventor de estas y otras palabras no es otro que Juan Roig, a quien en la empresa todos llaman Presidente, porque el «jefe» es el cliente.

Los cambios de rumbo tan frecuentes tienen sus víctimas: proveedores, interproveedores, empleados o directivos que no pueden seguir el ritmo o no quieren cambiar el paso. Algunos se quedan en el camino. «Para hacer una tortilla hay que romper huevos», dice Juan Roig, quien, por otro lado, presume de la contribución de su empresa a la sociedad con tal entusiasmo que algunos la confunden con una ONG dedicada a asistir a clientes, trabajadores y proveedores. El matrimonio Roig-Herrero tiene varias fundaciones sin ánimo de lucro, pero Mercadona no es una ONG, es una empresa que persigue un beneficio al que aspiran miles de empresas rivales más. El ánimo de lucro es imprescindible en una compañía, y sus dirigentes utilizan sus habilidades y su poder para ganar la batalla de la competencia. Otra cosa es que Juan Roig quiera demostrar desde hace algunos años que no tiene un interés personal en obtener más beneficios, que su interés es invertir en la sociedad para que otras personas triunfen como él ha triunfado. Con una fortuna de 5.800 millones de euros, según la lista *Forbes* de 2013, su prioridad no es ganar más dinero sino gastarlo bien, devolver a la sociedad parte de lo que esta le ha dado, según sus palabras. En ello está tanto desde Mercadona como desde su esfera particular, con dedicación a lo valenciano por encima de todo. El dueño de Mercadona ama su tierra y está dispuesto a invertir en ella no tanto en el papel de mecenas como en el de impulsor de una generación de emprendedores que emule a la de los años de su infancia y juventud, cuando cientos de empresarios valencianos crearon polos industriales del mueble, el juguete, el azulejo o el textil. Sueña con que Valencia se convierta en una *start-up nation* como la que ha descubierto en Israel gracias al libro de Senor y Singer, citado anteriormente.

Recién estrenado el cargo de consejero delegado, Juan Roig exhibió su madera de intrépido instalando en los supermercados de la compañía unos lectores de códigos de barras que tenían poco que leer, ya que casi ningún artículo llevaba incorporada la combinación de trece barras. Fue el impulso que necesitaba el invento que un grupo de empresarios unidos en la recién creada asociación Aecoc trataba de introducir con dificultades en España, sin despertar el interés de los fabricantes, porque los distribuidores no tenían lectores, ni de los distribuidores, porque los productos carecían de código. Mercadona fue la primera en instalar los lectores y sus empleados tuvieron que pegar las etiquetas en los productos, permitiendo así que fabricantes y distribuidores visualizaran las ventajas del código de barras. A sus 33 años, el máximo ejecutivo de Mercadona empezaba a ser alguien en el sector de la distribución.

Juan Roig supo moverse con inteligencia en ese mundo, donde si bien había competidores con más conocimientos y elementos de juicio que él para tomar decisiones, pocos contaban con su visión de futuro y audacia para tomar la delantera.

Otro hito importante fue la inauguración en 1988 del centro logístico de Riba-roja de Túria, en Valencia, el primer almacén totalmente automatizado del sector de la distribución en España. Ese mismo año, Mercadona compró la red de supermercados Superette, con 22 tiendas en Valencia, inaugurando una década de adquisiciones de pequeñas cadenas en Madrid, Cataluña y Andalucía que le permitieron acelerar su expansión. Una de las últimas, en 1997, fue la de Almacenes Gómez Serrano, que tenía un centenar de supermercados en Andalucía. A diferencia del resto, la familia Gómez no cobró en dinero, sino en acciones de Mercadona, el 7 por ciento, y obtuvo un asiento en su consejo de administración. Para entonces, Juan Roig y su esposa ya controlaban la mayoría del capital gracias a una compra multimillonaria realizada en diciembre de 1990.

Fernando, Juan, Amparo y Trini habían adquirido Mercadona en 1981, con pequeñas participaciones de las esposas de Juan y Fernando y de la ex mujer de Paco, Manuela Segarra. Fernando, presidente de la empresa, dedicó todos sus esfuerzos y su patrimonio a sacar adelante Pamesa, para lo que contó con la ayuda de Juan. Su patrimonio incluía las acciones de Mercadona, que Juan no estaba dispuesto a que cayeran en manos de los bancos, así que Fernando se vio obligado a vender parte de sus acciones a la propia empresa, una operación que repetiría años después para rescatar al Villarreal Club de Fútbol. Amparo y Trini controlaban entre las dos el 40 por ciento, pero no tenían ningún poder de decisión ni retorno alguno, ya que Mercadona destinaba sus beneficios a crecer y no repartía dividendos. Cuando comunicaron su malestar a Juan, este aprovechó para hacerles una oferta que no pudieron rechazar. El valor de cada 20 por ciento de Mercadona según sus fondos propios era de casi 1.500 millones de pesetas, pero gente que estuvo en el ajo asegura que lo que pagó Juan a cada una de sus hermanas, a plazos, fue varias veces esa cantidad. Juan Roig conseguía de esta manera el poder absoluto que ya ejercía de facto, con su esposa como segunda máxima accionista. Él alcanzó el 60 por ciento y ella el 20, mientras que Fernando y su esposa, Elena Nogueroles, se quedaban con un 10. El otro 10 por ciento restante quedó en autocartera. Juan sucedió a su hermano como presidente en un consejo de administración que completaban Hortensia Herrero, Fernando Roig, Elena Nogueroles, Manuel Llorente y Manuel de Juan. Llorente no permanecería mucho tiempo en la empresa, como tampoco Trini Roig, hasta entonces abogada de Mercadona. Para Juan Roig empezaba un trienio angustioso para el que harían falta cambios radicales.

El consejo de administración de Mercadona apenas tiene influencia en el devenir de la compañía. Se reúne una vez al año para aprobar las cuentas y el reparto de dividendos, pero no decide el rumbo ni aprueba los volantazos. Eso lo hace el comité de dirección, el núcleo duro nombrado por Juan Roig, integrado por directivos que han llegado allí por promoción interna y que igual que un día fueron promocionados pueden ser *democionados* en cualquier momento. El presidente les exige liderazgo para motivar a sus subordinados, propuestas, resultados y, sobre todo, fidelidad absoluta a él y al proyecto. No duda en degradar o despedir a quien no cumple con sus expectativas, pero aún le decepciona más que algún fiel colaborador decida abandonarlo.

La historia de Mercadona no puede escribirse sin reconocer la aportación de los directivos que han acompañado a Juan Roig, cuyo alcance solo ellos conocen porque los reconocimientos públicos y las críticas no tienen otro destinatario que el líder. Todos los meses, durante dos o tres días, los miembros del comité de dirección celebran reuniones y repasan estrategias a bordo de la furgoneta-sala de reuniones que los lleva de tienda en tienda, en la que los novatos se marean en los primeros viajes, como en un barco. La idea partió de Juan Roig, que no soporta que le disfracen la realidad. Si el presidente de una empresa tiene un objetivo, puede ocurrir que lo que le cuenten los encargados de ejecutar sus órdenes se parezca más a los deseos de su jefe que a lo que está pasando. Al empresario irlandés Feargal Quinn, el de los supermercados Superquinn, le gusta distribuir insignias con la inscripción YCDBSOYA, que responde a la frase «*You Can't Do Business Sitting On Your Armchair*» (No puedes hacer negocios sentado en tu silla). Juan Roig descubrió que la oficina es un sitio peligroso para observar el mundo cuando vio en las tiendas cosas que no le habían contado, así que, además de prescindir de quienes no merecían su confianza, se propuso no dar por supuesto nada que no estuviese contrastado. Y la misma obligación tienen los miembros de su equipo, los coordinadores, los jefes de tienda y todo empleado de sus establecimientos. Pocas compañías en el mundo tienen un nivel de autoevaluación tan alto como el del «ejército» de Mercadona. Cada estrategia que parte de arriba se transmite en cascada hasta el último nivel para que todos los trabajadores la conozcan de manera global, no solo en el ámbito de la responsabilidad de cada uno. Cada idea tiene un «propietario», el directivo que la propone, la defiende ante su superior o en el comité de dirección y se hace cargo de ponerla en marcha.

Cuando Juan Roig tomó el control accionarial, Mercadona hacía frente como podía a la pujanza de los hipermercados de capital francés. Grandes cadenas como Continente, Pryca —luego fusionadas en Carrefour— y Alcampo cambiaron en la década de los ochenta el panorama de la distribución en España. Allí donde abría un híper desaparecían decenas de ultramarinos, tiendas de barrio y pequeños supermercados, que se encontraban con que algunas de las ofertas de los grandes mejoraban el precio al que ellos se abastecían. Los hipermercados no solo podían apretar a sus proveedores y pagarles a 120 días, sino que se permitían vender a pérdidas reclamos como el aceite y el azúcar, que compensaban con amplios márgenes comerciales en otros productos. Lo hacían legalmente, ya que esta práctica, la de la venta a pérdidas, no fue prohibida en España hasta 1991 en algunos supuestos y, de forma más contundente, hasta 1996. ¿Qué hacía Mercadona? Lo mismo que el resto de las pequeñas y medianas cadenas de supermercados: imitar a los franceses, tratar de combatirlos con sus armas. Las ofertas y los premios son muy efectivos en el corto plazo para atraer clientes de los que no cabe esperar fidelidad ninguna. Cuando todavía pertenecía a Cárnicas Roig, Mercadona llegó a sortear «un magnífico ternero» y «un escogido cerdo» entre sus clientes para celebrar su primer aniversario en Sevilla, y bajo el mando de Juan Roig continuó echando mano de todo tipo de reclamos. Con las ofertas aumentaban las ventas, pero caían los márgenes y los beneficios, a lo que había que sumar el endeudamiento excesivo que soportaba la empresa después de la compra de acciones a las hermanas, Trini y Amparo. Además, se negaba a entrar en una de las estrategias comerciales que más juego daba a empresas como Continente o Pryca: las marcas blancas. En alguna de sus escasas intervenciones públicas, Juan Roig proclamó que nunca tendría marcas blancas porque no podía poner el nombre Mercadona a productos que él no fabricaba.

Y en esas llegó la crisis. España se había deprimido económica y moralmente después de la fiesta de los Juegos Olímpicos de Barcelona, la Expo de Sevilla y la capitalidad cultural europea de Madrid en 1992, y entró en una recesión que, comparada con la que sobrevino quince años después, parece una anécdota. No lo fue. El gobierno llevó a cabo tres devaluaciones consecutivas de la peseta que empobrecieron a los españoles, numerosas empresas desaparecieron, creció el paro y el sector inmobiliario sufrió un bache que no vacunó a nadie contra futuras burbujas. Fue una crisis muy acentuada en España, pero mucho más corta que la que estalló en 2008. En esas circunstancias, Juan Roig decidió dar un volantazo en su empresa, que dejó de ser una más en el sector de la distribución. «Volantazo» es un término que el empresario valenciano ha utilizado con profusión para referirse a su segundo gran viraje, el que dio en 2008 como reacción a la siguiente crisis, pero es igualmente aplicable al de quince años antes.

Mercadona necesitaba poner las cosas en orden, y pocas cosas había en el mundo con más orden que una fábrica de coches japonesa, así que Juan Roig estudió la obra de Alberto Galgano, creador del modelo de calidad total de Toyota, y se preguntó si era posible trasladarlo a una empresa de supermercados. «Por supuesto», se respondió a sí mismo. Los libros del consultor italiano le ofrecieron muchas pistas, pero el modelo para Mercadona no lo diseñó la consultora de Galgano ni ninguna otra, sino un equipo de directivos de la casa que había llegado a la conclusión de que nadie conocía mejor la compañía que ellos. El resultado, al cabo de los años, es una cadena de montaje como la de Toyota en la que todo funciona como un reloj y el cliente, rebautizado como el «jefe», encuentra en cada punto de España un supermercado como el que tiene al lado de su casa. Ese es otro de los logros clave de Mercadona, haber conseguido unas tiendas homogéneas en las que el cliente que visita otra ciudad encuentra algo propio en lo que puede confiar. «Supermercados de confianza», es su lema. Millones de americanos y no americanos buscan un McDonald's cuando viajan por el mundo. Los españoles, cada vez más, preguntan por un Mercadona cuando cambian de ciudad. El secreto está en la seguridad de que van a encontrar un clon de lo que ya conocen, y ese carácter clónico es lo que garantiza a su vez que la exigencia de calidad total se está cumpliendo en todos y cada uno de los supermercados de la compañía.

Lo más significativo del modelo que implantaron, denominado Gestión de Calidad Total, fue la inversión de la pirámide organizativa de la empresa, de manera que la base, formada por los clientes, se situaba en lo más alto y era rebautizada. A partir de entonces, el cliente sería el «jefe». Llamar jefes a los clientes parecía una ocurrencia vacía de contenido, porque el jefe de Mercadona era Juan Roig y además ejercía como tal. Sin embargo, resumía en un solo concepto la filosofía de la nueva estrategia, ese modelo de Gestión de Calidad Total que consistía en que empleados, directivos y proveedores debían trabajar juntos con el único objetivo de satisfacer las necesidades del «jefe», es decir, el cliente. Para conseguir que este estuviese satisfecho hacían falta buenos productos, precios bajos y servicio de calidad, y para lograr esto, el modelo proponía tener contentos a los trabajadores, porque rinden más (primero dar, luego pedir, etcétera), y que lo estuvieran también los fabricantes de esos productos mediante una relación estable y transparente con Mercadona. En cuarto lugar, había un compromiso con la sociedad de tipo medioambiental y de colaboración con instituciones benéficas, y, en último lugar por importancia estaba el capital, es decir, el beneficio para los dueños, al que se llega por el camino más largo, el de satisfacer antes las necesidades de los otros integrantes del modelo.

Los cinco componentes de la pirámide invertida de Mercadona, el «jefe», el trabajador, el proveedor, la sociedad y el capital, sirven para estructurar en capítulos homónimos la segunda parte del presente libro, con las siguientes dos décadas de esta empresa familiar, modélica en muchos sentidos pero polémica en otros, así como el crecimiento de la figura de Juan Roig, todo ello a través del relato de estrategias atípicas, decisiones sorprendentes, anécdotas y hechos desconocidos.

La Gestión de Calidad Total

1

El «jefe»

Un día de 1993, los supermercados de Mercadona amanecieron llenos de carteles hexagonales con tres grandes letras, SPB: Siempre Precios Bajos. Ya no había rótulos con ofertas de cuartos traseros de pollo, aceite de oliva o merluza entera. También los 3×2 habían desaparecido, sustituidos por los hexágonos rojos de SPB, una promesa arriesgada que nadie tenía por qué creerse, en especial las amas de casa que llevaban «toda la vida» comprando en Mercadona y que, contrariadas, se veían de pronto sin saber qué adquirir para comer, habituadas a acomodar su menú a las ofertas del día. Para algunos consumidores, la gota que colmaba el vaso estaba en el tíquet de compra. Mejor dicho, no estaba.

—Oiga, ¿dónde está el número del «carro cupón»?
—Ya no hay «carro cupón», señora, ahora nuestro compromiso es ofrecer siempre precios bajos.
—Uy, pero así ya no puede salirte gratis.
—Ahora es mucho mejor, porque en lugar de ofertas tenemos precios bajos y, a la larga, todos ustedes salen ganando.
—¿A la larga? Será a la muy larga… No hay derecho. Soy cliente de toda la vida, y no me parece bien que lo quiten.
—Pero era solo un sorteo. Lo importante es tener siempre precios bajos. Es el compromiso SPB de Mercadona.

El «carro cupón» fue un sorteo muy popular entre los clientes de Mercadona a finales de los años ochenta y principios de los noventa del pasado siglo. Consistía en la inclusión de un número aleatorio en el tíquet de compra que hacía que esta resultara gratis si coincidía con las cifras del décimo premiado de la ONCE ese mismo día. No tocaba a casi nadie, pero a los españoles les gusta jugar, y más si no les cuesta nada. La resistencia al cambio fue mayor en la Comunidad Valenciana, donde Mercadona tenía ya un centenar de tiendas con clientes «de toda la vida». Lógico. Al cambio solo se resiste quien lo vive. Mientras que el nuevo modelo de supermercado era muy bien acogido en las zonas donde Mercadona nunca había estado, en Valencia al recién nombrado «jefe» le costaba encajar los cambios. Algo parecido ocurriría en 2008, con el segundo gran volantazo, cuando la empresa retiró de sus lineales casi mil referencias. Muchos clientes habituales se quejaron y algunos hasta dejaron de comprar en Mercadona, pero en las zonas conquistadas después cada apertura era recibida con los brazos abiertos por unos «jefes» que no echaban nada en falta.

Lo de llamar «jefe» al cliente fue una de las lecciones del consultor Alberto Galgano, aunque él eligió la palabra «monstruos» para denominar a quienes tienen en sus manos el futuro de la empresa. En su libro *Los monstruos y el garaje*, de obligada lectura para los nuevos trabajadores de Mercadona, clasifica a esos «monstruos» para saber cómo tratar a cada uno. Juan Roig supo ver en su momento cuál es el talón de Aquiles de cualquier empresa no monopolística: la infidelidad de los clientes. Ellos son el centro de su trabajo diario; para ellos elige marcas, lanza productos, abre tiendas o pone patas arriba todo lo anterior cuando ve que le dan la espalda. En 1993 les prometió que los precios siempre serían bajos.

Sobre la idea de SPB, Juan Roig admitió en un principio que copió el eslogan y la estrategia del gigante norteamericano Wal Mart, que en 1962 lanzó su «Always Low Prices», que significa lo mismo. El eslogan lo copiaron, sí, incluso viajaron a Estados Unidos para ver a los americanos, pero fue después de alumbrar la idea en el cuartel general de Tavernes Blanques. La propuesta surgió a partir de una observación del responsable del supermercado de Moncada (Valencia), José Montoro, quien advirtió de que la cerveza Norlander se vendía mucho mejor que otras porque su precio era el mismo desde hacía tiempo, 35 pesetas. Las demás cervezas de su misma categoría eran más caras excepto si estaban de oferta, que era cuando se vendían más que la Norlander. Pero a largo plazo, la cerveza de nombre holandés era la que más rotación tenía. Era la constatación de que las ofertas no iban a sacar a Mercadona de la crisis, menos aún si debían competir con las de los hipermercados. Antes del episodio de la cerveza, el departamento de marketing había llevado a cabo un curioso experimento para confirmar una sensación que se había ido convirtiendo en sospecha: los clientes no leen los carteles con las ofertas. Para comprobarlo, colocaron en el supermercado de Tavernes Blanques un cartel de tamaño 2 por 2 metros que decía, más o menos: «Por la compra de un kilo de berenjenas, 500 pesetas gratis». El kilo de berenjenas estaba a 13 pesetas. A final del día, una clienta preguntó por la oferta, por si la había entendido mal. Ahí se acabaron los carteles y las ofertas durante muchos años, hasta 2013, cuando Mercadona recuperó la estrategia de colgar grandes carteles de la pared y del techo con precios y productos junto a la leyenda «Bajada de precio», que es una forma como otra cualquiera de llamar a las ofertas.

Poner en marcha la nueva estrategia no iba a ser sencillo. La credibilidad de Mercadona pasaba por mantener los precios bajos, tal como prometía, en no ceder a la tentación de subir el margen en aquellos productos con mucha rotación y, sobre todo, en convencer a los clientes de que les salía más a cuenta hacer la compra en sus supermercados que morder el cebo de las ofertas de otros.

Convencerlos, además, sin publicidad, ya que parte de la estrategia para conseguir precios bajos era no invertir ni una peseta en promoción y publicidad, que para Roig era «tirar el dinero». Esto ha cambiado en los últimos años, a su manera, como en tantas otras cosas, ya que si bien Mercadona sigue sin entrar en la publicidad convencional, es decir, no invierte en anuncios de la propia empresa ni en folletos con ofertas de productos para distribuirlos en los buzones, en los periódicos o en los propios supermercados, sí edita una revista gratuita de cosmética para promocionar sus artículos, que está a disposición de los clientes en la sección de perfumería. Como veremos más adelante, la empresa también invierte en mejorar su reputación, aunque de una forma no visible para el gran público.

Volviendo a la situación de 1993, Mercadona invirtió a finales de ese año sus últimas pesetas en publicidad en televisión, con un anuncio en TVE que comenzaba con la frase «Nueve de cada diez mujeres dicen sí a SPB», a lo que seguían imágenes y declaraciones de nueve mujeres desde un supermercado de la cadena, encantadas con el cambio. «En la suma total es donde de verdad se nota el ahorro», aseguraba una de ellas, mientras repasaba un largo tíquet de compra. «Nueve de cada diez mujeres dicen sí a SPB», repetía la voz en *off*. «Y yo también», remataba un cliente varón. Acabada la campaña, la batalla contra los grandes de la distribución se planteaba en términos desiguales: carteles de SPB en Mercadona frente a millones de folletos de sus competidores en los buzones de las casas con aceite o leche a un coste irrisorio; promesas de precios bajos en boca del personal de Mercadona frente a ofertas reales de los híper franceses en televisión, radio y prensa. No iba a ser fácil.

El porqué del SPB

La mayoría de las empresas aplican la teoría de la maximización de beneficios, que consiste, de forma muy básica, en poner al producto que vende el precio más alto que admitan los clientes o el mercado. Si los clientes están dispuestos a comprarme el tarro de Nescafé a 100 pesetas y ningún competidor lo vende más barato, ¿por qué he de ponerlo a 90 y dejar de ganar 10 pesetas por unidad? Es lo que a Juan Roig le habían enseñado en la Facultad de Económicas, pero en la empresa llegaron a la conclusión de que había otra forma de hacer las cosas, aprovechando los volúmenes que ya manejaba Mercadona. «¿Y si bajamos los precios al mínimo posible que nos permita obtener beneficios, aunque ganemos menos por unidad? —pensaron—. ¿Y si pedimos a nuestros proveedores que hagan lo mismo, a cambio de asegurarles un margen comercial que les dé ganancias y un volumen creciente de pedidos? ¿No ganaremos así más clientes y, a la larga, más dinero?» Y pusieron el Nescafé a 90 pesetas.

Juan Roig justificaba su decisión con una observación que entonces resultó sorprendente y que con la crisis actual es incuestionable: «A los pobres les gusta comprar barato y a los ricos ahorrar cuando compran». Con «los ricos» se refería a la clase acomodada, media o media alta, entonces creciente en España, a la que su familia había pertenecido hasta que se hizo rica de verdad. Lo novedoso de su afirmación estaba en la parte de «los ricos», pues hasta finales del siglo XX las clases medias presumían de ropa de marca y de leche Pascual, pero hacían pasar por buenas las pocas imitaciones que llevaban y compraban en un chino a escondidas. Se creían el eslogan de la leche Pascual: «La calidad tiene un precio». Cuando el castillo de naipes se desmoronó en 2008, las nuevas generaciones de esas clases medias habían evolucionado en el sentido que el dueño de Mercadona vislumbraba, ya que presumían en sus círculos de comprar primeras marcas en el *outlet*, cuando no de vestir imitaciones de Prada, o bien afirmaban con orgullo: «Mira qué barato me ha salido en el mercadillo». Y por supuesto, esas clases medias consumían marcas blancas porque les gustaba ahorrar cuando compraban.

Una década después de aquel volantazo, en 2005, Juan Roig dijo en una conferencia en el Colegio de Economistas de Valencia que consideraba aquella decisión la clave del éxito de Mercadona. Contra la teoría de la maximización del beneficio que le habían inculcado en la universidad, su estrategia fue poner el precio mínimo que permitiera obtener beneficios para el cliente, el trabajador, el proveedor, la sociedad y el capital. Otra vez los cinco ámbitos del universo Mercadona. «Si hay que bailar sevillanas para vender más barato, bailaremos sevillanas», diría años después este empresario, que nunca ha perdido de vista que el pilar central de su estrategia de 1993 es un objetivo que no da lugar al descanso porque se renueva cada día.

Poner siempre precios bajos no está al alcance de cualquiera. Juan Roig pudo hacerlo, en primer lugar, gracias a los grandes volúmenes que mueve su compañía, que le permiten multiplicar por millones los márgenes de céntimos de euro que aplica a casi todos sus productos. Eso la distingue de la mayoría de las industrias, pero no de otras grandes empresas de distribución. En segundo lugar, limitando el número de referencias y centrándose en las de más rotación conseguía reducir los costes de existencias, lo que también abarata el producto. Por ello, eliminó de sus estantes productos textiles y ofertas de libros o DVD, tan presentes en otras cadenas de distribución, y se centró en artículos de alimentación y de hogar perecederos, de alta rotación por su naturaleza. Solo en la sección de limpieza mantiene productos no consumibles, como cubos de fregar.

Otra estrategia diferenció a Mercadona del resto de los distribuidores que vienen condicionados por el precio del vendedor, por mucha capacidad de negociación que tengan frente a ellos. Juan Roig rompió todos los esquemas al ir mucho más allá de jugar con su margen o presionar a los proveedores. Si quería controlar los precios, debía controlar la producción, y así lo hizo con los interproveedores, como se verá con más profundidad en el capítulo 3. La consecuencia, de cara al público, fue que quien había dicho que nunca introduciría una marca blanca en Mercadona entró de lleno en ella. Lo hizo a su manera, como siempre.

Nace Hacendado

La historia oficial de Mercadona sitúa en 1996 el año en que la compañía introduce en sus tiendas las marcas propias, un remedo de las marcas blancas que, en cierto modo, no rompía con la proclama que Juan Roig había lanzado años atrás en el sentido de no vender nunca productos con la marca Mercadona porque él no era fabricante y no podía hacerse responsable de lo que producían otros. De hecho, fue una rectificación en toda regla, una más, ya que una vez tomada la decisión de lanzar las marcas blancas, la primera opción fue utilizar la de Mercadona. Sin embargo, cuando probaron con aceite, sal y algún otro producto, se dieron cuenta de que vendían lo mismo, así que decidieron no poner en riesgo el nombre de la compañía y buscaron otro. Con los años, la empresa ha recibido felicitaciones por el «acierto» en la elección del nombre Hacendado, que evoca el producto de la tierra, lo auténtico, pero lo cierto es que nada de esto se tuvo en cuenta para la selección de una marca que ya existía. No hubo detrás un despacho especializado en *naming*, sino un departamento de marketing que sacó la lista de marcas que Mercadona tenía para acabar optando por la que estaba registrada en más categorías de productos, con el fin de evitar el engorroso trámite de la Oficina Española de Patentes y Marcas (OEPM). Era Hacendado, que además sonaba bien.

La historia habla de 1996, pero la marca más conocida de Mercadona nació nueve años antes. Fue el 24 de febrero de 1987 cuando la empresa solicitó en la OEPM el registro de Hacendado para vender vino, aunque de vino con esa denominación solo queda el rastro de uno para cocinar que se comercializó durante algunos años. Todo lo contrario que Royal Swan, otra marca registrada por Mercadona un mes después, en marzo de 1987, para lanzar una crema de whisky propia. En aquellos años había irrumpido en España, procedente de Irlanda, un licor que triunfó con rapidez en el difícil mercado de las bebidas alcohólicas. Se llamaba Baileys. La crema de whisky de Mercadona con la marca del cisne real no superó la fama de la original irlandesa, pero continúa vendiéndose en sus lineales a mitad de precio que aquella. La produce José Estévez, fabricante malagueño de licores, interproveedor de la cadena. Fue el primer intento de copiar un producto de éxito por parte de Mercadona para venderlo más barato.

El grupo de marcas de bebidas alcohólicas registradas por la compañía valenciana en esos primeros meses de 1987 se completó con Black Swan, con el que se comercializó un whisky de malta, y Wild Boar. Pero la aventura no fue más allá, hasta que seis años después se tomó la decisión de apostar por las marcas blancas para ayudar a conseguir el objetivo de mantener los precios bajos «siempre». A partir de finales de 1992, Mercadona registra Bosque Verde para droguería, Deliplus para perfumería y cosmética, Compy para comida de animales y Sedama para productos textiles. Además, amplía el registro de Hacendado a todo tipo de productos de alimentación.

Esas cinco grandes marcas se quedaron en cuatro, Hacendado, Bosque Verde, Deliplus y Compy, cuando Mercadona decidió dejar de vender medias y calcetines, y a ellas se unieron otras para artículos concretos, como la del vino Gran Viñedo de Hacendado. Del porqué se buscó otro nombre para determinados productos hay pocas dudas. Una cerveza que se llame Steinburg entrará mejor por los ojos que si lleva la marca Hacendado, así que Mercadona registró la denominación alemana y encargó la producción al grupo español Damm, que la elaboraba en Salem (Valencia) hasta que se rompió el contrato con este interproveedor y la cerveza paso a ser producida en Francia. Con todo, la explosión de las marcas propias estaba por llegar.

¿Un producto mediocre?

A mediados de los años noventa, un fabricante de un producto Hacendado mostraba en privado su decepción con la marca blanca por la casi nula rentabilidad que le suponía y razonaba que «a esos precios», en los frascos de Hacendado, solo podía poner «el *rebuig*», palabra valenciana que, en este contexto, puede traducirse como «lo que sobra», lo que, en circunstancias normales, dejaría fuera por no cumplir los estándares de calidad. Otro fabricante, este de arroz de primera marca, explicaba que en su empresa separaban los granos enteros de los partidos haciéndolos atravesar unas corrientes de aire que empujaban aquellos de peso menor hacia cubas separadas. En su empresa, que no fabricaba con marcas blancas, los granos enteros llenaban los paquetes de su producto de marca y los granos partidos se vendían a empresas de comida para animales a bajo precio. Una ganga que era compensada por el alto precio del arroz de primera calidad. Sin embargo, en fábricas de arroz que sí producían para distribuidores con su marca blanca los granos partidos se mezclaban con otros enteros para abaratar costes a fin de poder servir el producto al precio que el distribuidor exigía. La calidad de ese arroz no era la misma y el aspecto de la paella cocinada con él tampoco, aunque ningún mal cocinero podrá echar la culpa de un guiso mediocre a la presencia de granos partidos. Con los productos de limpieza la estrategia era más sencilla: bastaba con echarles más agua para abaratarlos.

Además del producto en sí, la marca blanca puede ser más barata en origen porque el fabricante se ahorra promocionarla y por los grandes volúmenes que se venden, pero alcanzar los precios que el distribuidor pedía parecía imposible si no se relajaba la exigencia de calidad. Los artículos de marca blanca eran simples réplicas de los que más se vendían en los supermercados y muchas veces se colocaban en el mismo lugar que el original un 40 por ciento más baratos. Para el fabricante de ambos artículos podía suponer cavar su propia tumba, especialmente si su producto no tenía mucho donde innovar para diferenciarse de la copia.

En resumen, la marca blanca de todos los distribuidores era de peor calidad y el consumidor lo sabía. De hecho, siempre ha tenido más éxito en artículos de limpieza del hogar que en alimentación, y hay productos sensibles en los que la marca blanca ha tardado en ser aceptada por el cliente, como en el caso de la leche, o que todavía no han ganado su confianza, como sucede con los alimentos infantiles. De ahí la ventaja de lanzar marcas propias que, en un principio, el consumidor no identificó con Mercadona porque no eran Mercadona. Así eran las llamadas «marcas de distribuidor» (MDD) cuando Juan Roig entró en ese juego para poder cumplir su promesa de ofrecer siempre precios bajos. No había inventado nada, más allá de la novedad de registrar unos cuantos nombres para no comprometer el de la empresa. Era lo mismo, pero distinto.

Su ventaja respecto a la competencia era que podía bajar un poco más los precios aprovechando que no tenía que incluir en ellos los costes de publicidad, dado que no recurría a ella, ni encarecer otros productos para compensar la merma que causan los artículos reclamo, generalmente aceite y leche, que se ofertan casi a precio de coste. Una ventaja del todo insuficiente y a un alto coste de imagen, ya que la marca Hacendado empezó a convertirse en sinónimo de calidad inferior, incompatible con el modelo de Gestión de Calidad Total implementado en Mercadona. Ese modelo implicaba, además, una mejora sustancial de las condiciones de trabajo de la plantilla, lo que se tradujo en un aumento de los costes laborales y menos posibilidades de bajar precios. Había que dar una vuelta a la fórmula, y Juan Roig se la dio con otra innovación en el sector de la distribución.

Apuesta por la calidad

Fue a partir de 1998 cuando Juan Roig decide cambiar la relación con los fabricantes de sus marcas blancas, a los que propone un contrato indefinido único en el mundo de la distribución de alimentos. Una tregua a largo plazo, algo impensable en la guerra diaria entre distribuidores y proveedores. Una ocurrencia copiada de las grandes compañías de automóviles destinada, a primera vista, a provocar el rechazo de la parte contraria. Las condiciones se analizan en el capítulo 3, dedicado al proveedor. De manera resumida, el contrato venía a establecer un férreo control de la producción por parte de Mercadona, que obligaba al fabricante a revisar cada año todos sus procesos con el objetivo de abaratar el precio final o, al menos, garantizarse que creciese por debajo de la inflación. A cambio, la empresa valenciana aseguraba al que bautizó como «interproveedor» no solo la exclusividad sino también unos beneficios estables; reducidos, pero estables. Firmar unos beneficios estables aunque limitados fue visto por muchos empresarios como una estupidez en los años de la burbuja, pero a partir de 2008 más de uno habría deseado estar bajo el paraguas de Mercadona para seguir ganando dinero y, en muchos casos, creando empleo.

De cara al «jefe» y a la propia empresa, la política de interproveedores iba a ser decisiva en la credibilidad de Mercadona tras el SPB, gracias a la apuesta por la calidad y la innovación. A partir de entonces, junto a los artículos de marca originales, innovadores y con diseño Juan Roig quería productos marca Hacendado y Deliplus, originales, innovadores y con diseño. Sin dejar de copiar los artículos de mayor venta, como hacen todos, el empresario buscaba dejar de ser un competidor que solo se distinguiera por precio para pasar a ser un fabricante más, que una década después habría de convertir en prescindibles cientos de productos que parecían insustituibles. En 2013, más del 40 por ciento de las ventas de Mercadona correspondían a sus marcas propias. Las marcas menos fuertes habían sido borradas de sus tiendas en 2008 y las renombradas, como Coca-Cola, estaban cada vez más arrinconadas.

La apuesta por la calidad se acompañó de una política de comunicación al «jefe», por si la clientela no se había dado cuenta de que los productos Hacendado no merecían la fama de mediocres que habían adquirido en sus albores. El método de comunicación no fue la publicidad, que estaba proscrita en la compañía, sino la organización de charlas para los clientes en las que se les explicaba de dónde procedían los «productos recomendados», expresión con la que Mercadona los identificó en los estantes para hacer olvidar el peyorativo «marca blanca». Las charlas fueron muy efectivas para fidelizar a las clientas, que se iban encantadas con el regalito Hacendado que les entregaban a la salida, y para conocer lo que no les gustaba. Ahí empezó Mercadona a escuchar a su público.

La evolución hacia la calidad no se produjo de golpe, sino poco a poco. Desde los primeros años del siglo XXI, los interproveedores se iban reforzando y empezaban a desarrollar productos propios, aprovechando la receptividad que Juan Roig siempre ha tenido hacia cualquier novedad. A las réplicas de artículos de fabricantes de marca empezó a aplicárseles el denominado «test ciego», una dura criba consistente en dar a probar a un grupo de consumidores el producto con marca blanca y el del líder en ventas del mercado, sin decirles cuál es cuál para que indiquen el que más les gusta y por qué. Los fabricantes dicen que para que el producto de marca blanca entre en los supermercados de Mercadona tiene que ganar a la marca líder, aunque puede que la empresa no sea tan exigente y que el fabricado por el interproveedor acabe comercializándose, siempre que no quede mal parado en la prueba. Juan Roig ha dicho más de una vez que en los test ciegos suelen ganar los Hacendado. El aval definitivo a esta marca iba a llegarle a Mercadona en junio de 2011 con uno de los productos más sensibles para el consumidor, la leche.

Un informe controvertido

La Organización de Consumidores y Usuarios (OCU) es una de las más importantes del sector en España; se fundó en 1975 y cuenta con más de 300.000 socios, que reciben una o varias de las revistas de la asociación. En ellas, la OCU publica análisis de productos o servicios, a veces comparando las principales marcas disponibles en el mercado. El de los análisis comparativos es un servicio que prestan otras asociaciones de consumidores, como Facua, y organizaciones como la Fundación Eroski, vinculada a la cooperativa vasca de supermercados, que edita la revista *Consumer*. Los resultados tienen mucha repercusión porque afectan de forma directa al bolsillo de los ciudadanos y, en no pocas ocasiones, a su salud y bienestar.

Eso fue lo que ocurrió a finales de junio de 2011, cuando la OCU reveló los resultados de un análisis sobre la calidad de la leche entera que iba a publicar en su revista *OCU-Compra Maestra* de julio-agosto de ese año. En ella, situaba a Pascual como la leche de mejor calidad (con 80 puntos sobre 100), seguida de Hacendado (79), Consum (78) y Kaiku (77). Como producto recomendado por su relación calidad-precio situaba a una marca gallega poco conocida, Muu (74), propiedad de Alimentos Lácteos. Otras marcas blancas como Carrefour (75) y Dia (74), ambas del grupo Carrefour, aparecían en séptimo y noveno lugar, respectivamente. La buena puntuación de las marcas blancas y la infravaloración de reputados nombres como Puleva, Ram y Reny Picot, los tres con 20 puntos sobre 100, supuso una sacudida para el sector lácteo. La OCU desaconsejó «vivamente» la compra de las diez marcas peor valoradas, entre ellas las tres citadas en último lugar. La Organización de Consumidores y Usuarios arremetía contra la calidad de la leche que se vende en España, afirmaba que «bebemos peor leche que hace diez años», y acusaba a algunas marcas de utilizar leches «demasiado viejas» y de manipularlas para que parecieran más frescas.

El informe motivó una demanda contra la OCU por parte de la Federación Nacional de Industrias Lácteas (Fenil), que fue desestimada, y una nota del Ministerio de Agricultura en la que se defendía la seguridad alimentaria de la leche española. Además, el estudio de la Organización de Consumidores y Usuarios fue cuestionado porque varias marcas blancas y de distribuidor que habían recibido diferente puntuación las producía la misma empresa. La propia leche Hacendado la fabrica una sociedad conjunta, Lactiber, formada por la compañía vasca Iparlat y la andaluza Covap, en la que también participa la valenciana Dafsa, controlada hasta el año 2013 por el fondo de capital riesgo Atitlan, perteneciente a la familia de Juan Roig. Pues bien, la marca Covap aparece en el informe de la OCU en décima posición con 73 puntos, lo que podría significar que la cooperativa andaluza tiene calidades de leche diferentes y que destina la mejor a Mercadona, que la vende un 15 por ciento más barata. La OCU justificó estas diferencias afirmando que su análisis no se había hecho sobre la leche salida de fábrica, sino sobre producto adquirido en tienda, que habría sufrido condiciones de transporte y almacenamiento diversas.

Polémicas aparte, el efecto de ese informe de 2011 de la OCU fue irreversible. La leche era uno de los productos que muchos consumidores se resistían a confiar a la marca blanca, junto con los alimentos infantiles, por lo que el estudio de la citada organización de consumidores le dio el aval que necesitaba. Todos los medios de comunicación dedicaron un espacio destacado a los resultados y la calidad de la leche con la clasificación de la OCU fue tema de conversación entre las amas de casa. Solo Mercadona y el resto de los distribuidores conocen el efecto que tuvo en sus ventas de leche, pero cabe imaginar cuál fue. Algunas marcas de fabricante que no salieron bien paradas admitieron que habían sufrido una caída importante en las ventas durante los meses siguientes a la publicación del referido informe.

En octubre de 2012, *OCU Compra-Maestra* publicó un análisis de aceites de oliva virgen y virgen extra en el que la marca recomendada por su relación calidad-precio era Hacendado, mientras que de afamados nombres como Hojiblanca, Ybarra y Coosur se decía que engañaban al consumidor porque mezclaban varias calidades. Su impacto fue mucho menor puesto que el aceite no tiene tanto peso en la alimentación como la leche; además, la alta valoración de las marcas blancas había dejado de ser noticia. Casi veinte años después de lanzar Hacendado, Juan Roig había conseguido quitarle el sambenito de que era de peor calidad que la marca del fabricante. Su otro empeño era explicar quiénes fabrican las marcas propias de Mercadona.

No es el Espíritu Santo

Al presidente de Mercadona le molesta la distinción entre marca blanca y marca del fabricante. «Que yo sepa, todos los productos que se elaboran los hace el fabricante. Nuestros artículos los producen fabricantes, no están hechos por el Espíritu Santo», afirmó ante cientos de fabricantes en el congreso de Aecoc 2013 celebrado en Valencia. A esos cientos de elaboradores, unos de Hacendado, otros de marca propia y algunos al mismo tiempo de Hacendado y de su marca propia, como Casa Tarradellas, Juan Roig les explicó lo que es el concepto Hacendado, que son todas las marcas que hay bajo el paraguas de Mercadona —sean de su propiedad o de los interproveedores— que se venden en exclusiva en sus supermercados. El concepto, según dijo, es «un producto con seguridad alimentaria, con gran calidad y precio bajo, en ese orden: seguridad, calidad y precio». Unas prioridades que firmaría cualquier fabricante de marca propia.

Si hay una cosa que Juan Roig valora de sus interproveedores es la iniciativa no solo para innovar sino también para ahorrarle unos céntimos que, luego, se multiplicarán por millones; por ejemplo, ofrecer en envases de plástico las especias o el café soluble que siempre se había vendido en tarros de cristal. El empresario valenciano reconoce ese esfuerzo en la rueda de prensa que da cada mes de marzo para presentar los resultados del año anterior, en la que dedica parte de su exposición a presumir de las novedades de más éxito del último ejercicio; por ejemplo, el sistema de cierre de latas de atún con tapa blanda, fácil de abrir y que no corta, o los envases transparentes para todos los productos, incluidas las bandejas de carne, que Roig bautizó como «la teoría de Brad Pitt», según la cual la gente prefiere ver a este actor al natural, aunque se le aprecien más defectos que en las fotos, a menudo retocadas.

Los interproveedores aportan cada año un centenar de novedades, pero no todas triunfan. En 2010, Juan Roig sorprendió con

EL «JEFE» | 53

el anuncio de botellas de vino cuadradas, porque en su opinión «transportar el aire que hay entre las botellas redondas es tirar dinero». Calculó que ahorraría dos céntimos por botella, como ya ocurría con el aceite. Con las cantidades que Mercadona movía ese ejercicio, bajar el coste un céntimo por cada artículo vendido suponía un ahorro de 100 millones de euros. De ahí que la empresa se lanzara a la «lucha por el céntimo» en aquellos años en los que el empresario valenciano preveía una larga época de penurias. La propuesta de la botella cuadrada de vino estaba supeditada a que los clientes la aceptaran en los test, que en este caso no eran ciegos. Todo indica que el «jefe» no estuvo muy por la labor, porque las botellas cuadradas nunca llegaron a las tiendas. «A veces nos equivocamos, no muchas, y entonces rectificamos», explica con frecuencia Juan Roig. Es parte de su estrategia, innovar mucho, tratar de sorprender, asumiendo el riesgo de sumar fracasos que acaban costando dinero. Se dirá que Mercadona tiene capital de sobra para perderlo en ensayos, pero no es una cuestión de peculio, sino de forma de ser. Emprender es una actividad de riesgo desde el primer día y para llegar a donde ha llegado, Juan Roig ha tenido que jugársela varias veces.

Tampoco acertó, unos años antes de gestarse la idea de la botella de vino cuadrada, con su proyecto de ofrecer el pescado en bandejas, que no llegó a poner a la venta por falta de calidad después de muchas pruebas con el interproveedor, ni con su intento de ofertar la fruta ya pelada, cortada y envasada, que finalmente tuvo que retirar. «Nuestro proveedor y nosotros no hemos sabido garantizar la calidad», dijo Juan Roig cuando rectificó en 2004. A los directivos de Mercadona les preocupaban esos desaciertos, así que dieron un paso más en su empeño por conocer las necesidades del cliente y sacaron de su factoría de ideas lo que Juan Roig denominó «estrategia Delantal».

Observar al «jefe»

Como se ha dicho, el cliente es el «jefe» en Mercadona, pero hay que ver cuán caprichoso es, qué voluble en sus gustos y, sobre todo, qué impenetrable. Que los españoles sean de poco quejarse y de mucho no volver es un problema para las empresas. Un viejo estudio sociológico anterior al nacimiento de internet mostraba que cuando uno queda complacido con un producto o un servicio se lo dice, de media, a cuatro personas, pero si sale disgustado de un establecimiento se lo cuenta a nueve y, además, no vuelve, con lo que el tendero no se entera de que ha perdido un cliente ni por qué. En la era de las redes sociales es aún peor, porque quien se enfada cuelga la queja en ellas y sus seguidores la reenvían a los «amigos».

En 2008, Juan Roig se desesperaba al ver que sus supermercados perdían clientes día tras día, según revelaban el número de tíquets diarios y su cuantía media. Como los estudios de mercado no acertaban con las causas, la empresa optó por ir a las tiendas, hablar con sus responsables y ofrecerles ayuda. Mercadona ya había tratado de mejorar las ventas, primero convirtiendo al personal de caja en prescriptor de «productos recomendados» a los que se quería dar salida, y más tarde contratando a los llamados «animadores», dos o tres personas por supermercado dedicadas exclusivamente a hablar con los clientes, aconsejarlos e intentar colocarles ese producto del que había demasiadas existencias. Es lo que siempre se ha llamado «venta activa», practicada tanto en la tienda de barrio como en El Corte Inglés por los propios vendedores, pero menos habitual en los supermercados, que funcionan como autoservicios. Lo de los animadores duró pocos años en Mercadona, excepto en la sección de perfumería. Se mantuvo justo hasta que llegó la crisis de 2008 y se vio que tenían un coste muy alto en relación con los resultados obtenidos.

Los animadores fueron sustituidos por el monitor, una figura más útil para la compañía de Juan Roig, pues sin dejar de recomendar algún producto, su misión consistía en observar al «jefe», hablar con él para conocer sus opiniones sobre lo que se vendía y lo que faltaba en las tiendas. La información era transmitida a la empresa, que la hacía llegar a los interproveedores para que atendiesen a las sugerencias del comprador. Los monitores complementaban otro de los grandes éxitos de Mercadona en su relación con los clientes: las charlas. En ellas, durante una hora y media se reúne a un grupo de clientes para contarles y mostrarles en vídeo dónde y cómo se fabrican los productos de marca propia de Mercadona, cómo se usan y, en definitiva, lo buenos, bonitos y baratos que son. Al terminar las mismas se regala a cada asistente una muestra que le deja un buen sabor de boca o, cuando menos, compensa a cualquiera que haya creído estar perdiendo el tiempo. Esas charlas se celebran en aulas de la propia empresa y son monográficas, un día sobre productos de limpieza, al siguiente sobre pescado, al otro sobre la charcutería... Su propósito no es tanto fidelizar a los clientes como escuchar sus opiniones acerca de los artículos que se les muestran y, en ocasiones, se les dan a probar. Las reuniones con clientes no son excepcionales en el mundo de la distribución. La cooperativa de supermercados Consum, valenciana al igual que Mercadona, organiza cursos y talleres de cocina o de estética, y tiene entre sus socios-clientes a familias enteras de probadores de sus productos de marca blanca —en este caso sí es Consum—, que permiten a la empresa conocer mejor sus gustos.

Mercadona tenía las charlas y los monitores en tienda, pero ¿la empresa y sus interproveedores recibían la información necesaria? ¿Eran suficientemente locuaces los clientes a los que interpelaban en plena compra en el supermercado? ¿Y aquellos que se sentaban en una silla para una sesión al estilo de las reuniones de *tupperware*? Quizá lo eran, pero no tanto como deseaba Juan Roig, quien decidió poner al «jefe» bajo estrecha vigilancia en un hogar artificial recreado en diferentes estancias repartidas por todo el país. Se trata de talleres donde los clientes se reúnen con los monitores de Mercadona para cocinar, comer, hacer limpieza, asearse y cuidar a sus mascotas. Había nacido la «estrategia Delantal», un método que parece, este sí, infalible para conocer las necesidades del cliente y hacer un seguimiento de sus gustos cambiantes. En 2011, Mercadona situó al frente del que se bautizó como departamento de Análisis de Mercados a una persona de la total confianza del presidente.

Carolina Roig, prescriptora

La responsabilidad del departamento de prescripción en el comité de dirección de Mercadona desde 2012 está dividida en dos, entre productos secos y productos frescos. Por debajo de los dos directivos al cargo está la responsable de esa importante área en la que trabajan más de 200 personas. Es la coordinadora de la división de Análisis de Mercado, Carolina Roig Herrero, una de las hijas mayores —son dos mellizas— del fundador. Carolina y sus tres hermanas forman parte del consejo de administración, pero en el momento de escribir este libro únicamente ella trabaja en la empresa.

Mercadona invirtió un millón de euros en la infraestructura de la estrategia Delantal, que se desarrolla en los denominados «centros de coinnovación» —empezaron siendo once—, situados en salas anexas a los supermercados en distintas comunidades autónomas. Por allí pasaron solo en 2012 más de 7.000 personas, incluidas familias con niños, que usaron productos de marca propia como si estuvieran en su casa y sorprendieron a los monitores con sus propuestas o, simplemente, con los hábitos que mostraron. Por ejemplo, los monitores observaron que algunas personas utilizaban el vinagre para limpiar la casa o para aclararse el cabello tras lavárselo con champú. El vinagre de mesa, porque no había otro. Es algo que no puede sorprender a nadie porque hace décadas que las mujeres descubrieron las propiedades de este producto natural. Pero una cosa es saberlo y otra descubrir que se le puede sacar provecho. «¿Y si desarrollamos productos *ad hoc* para cada uso que hacen los clientes?», sugirieron los monitores de coinnovación. Mercadona lo transmitió a su interproveedor y de ahí surgieron el vinagre concentrado multiusos para el hogar, no apto para el consumo por su alta concentración, y el vinagre para cabello a la frambuesa, que disimula con ese aroma frutal el desagradable olor original. La estrategia Delantal es la cuadratura del círculo que forman Mercadona, sus clientes y los interproveedores; es la fórmula definitiva para adecuar los productos a los gustos del consumidor, dejarlo satisfecho y vender más. Algunos artículos salidos de los centros de coinnovación han tenido una aceptación mayor de la esperada por la propia empresa, como el tomate frito casero que, ¡por fin!, sabe como el tomate frito que hacían las madres de quienes ahora pasan por los talleres de coinnovación. A fin de cuentas, todas las familias felices de consumidores se parecen.

Juan Roig ha avanzado así en el objetivo de que el «jefe» tenga la sensación de que no le falta de nada... aunque sí falten en los estantes los cientos de productos de marca eliminados en 2008. Un empresario amigo suyo contaba una anécdota que le sucedió poco después de la retirada masiva de marcas a finales de ese año. Estaba mirando en la sección de alimentación de un supermercado Mercadona y alguien situado detrás de él le preguntó:

—¿Te falta algo?

Era Juan Roig, quien hace la compra en sus establecimientos con cierta frecuencia, además de visitarlos con asiduidad.

—¡Che, Juan!, te has pasado, faltan muchas cosas.

—Pero ¿tienes de todo?

—De todo sí, pero no de la marca que yo gastaba.

—Prueba esta.

Ahí estaba el presidente de Mercadona, haciendo de monitor de tienda para lograr que un «jefe» insatisfecho se llevase un producto de la casa en lugar del que consumía habitualmente. Solo aquel empresario sabe si, después de probar lo que le ofreció su amigo Juan, pasó a consumir Hacendado o se marchó a El Corte Inglés a buscar su marca.

Para Roig, el objetivo estaba cumplido, pues cada uno tiene sus manías y es imposible agradar a todo el mundo. El objetivo era que los clientes probasen unas marcas propias que en los test ciegos obtenían muy buenos resultados y que se enganchasen a novedades exclusivas de Mercadona, que a veces ni siquiera eran Hacendado o Deliplus. Así ocurrió a finales de 2011 con uno de los éxitos más sonados procedentes de los centros de coinnovación, el champú para caballos.

Un éxito desbocado

El champú para caballos adaptado para uso en humanos ya había tenido su momento de gloria en Inglaterra una década antes, cuando varias actrices popularizaron la marca estadounidense Mane 'n Tail, que tiene una amplia gama de productos cosméticos y de limpieza con la imagen de una pareja de caballos a la carrera. La promoción es muy sencilla: si quieres tener un cabello fuerte liso y brillante como las crines de un caballo recién lavado, utiliza su champú. La versión española atribuyó la magia de este «crecepelo» del siglo XXI a uno de sus ingredientes, la biotina, una vitamina que cada vez más mujeres tomaban en pastillas al correrse la voz en las redes sociales de que hasta frenaba la alopecia.

Los centros de coinnovación detectaron que las clientas de Mercadona preguntaban si algún champú contenía biotina y así lo comunicaron al departamento de prescripción de la cadena, el centro de decisión sobre nuevos productos. Mercadona hizo entonces algo poco usual, que es no poner su marca a un artículo de encargo. Fue Laboratorios Vilper Group al que se le pidió crear una versión para humanos de su champú para caballos. Especializada en detergentes, ambientadores y productos de cosmética natural para mascotas, la empresa vasca se encontró así con un regalo procedente de Valencia que desbordó todas sus previsiones. Al producto creado le puso la marca de sus ambientadores, DA, para distinguirlo del champú para caballos Men For San. Diseñó una botella con dos palabras en grandes letras: CHAMPÚ y BIOTINA, y agregó en el centro una cabeza de caballo con las crines al viento y una leyenda debajo: «Fortalece, abrillanta y protege el pelaje». El pelaje es el pelo de un animal, del caballo, pero el champú era para las clientas de Mercadona.

El éxito fue tal que durante un tiempo los compradores vaciaban los estantes a diario. Las redes sociales bullían y la prensa se hizo eco del fenómeno. Para cuando los médicos advirtieron de que la biotina no tenía las propiedades que se le atribuían, sobre todo si el uso era tópico y no ingerido, millones de personas ya habían probado el champú de caballos de Mercadona, así como el de otras empresas y cadenas de distribución que se subieron al carro. La Organización de Consumidores y Usuarios alertó sobre el «engaño» que a su juicio se estaba produciendo al tomar la biotina como «coartada científica para vender un nuevo producto», y destacó que «no hay suficientes evidencias científicas de que funcione». Sin embargo, el fabricante no engañaba a nadie. «Fortalece, abrillanta y protege» son promesas que figuran en cualquier champú, que después a unos les funciona y a otros no. Hoy solo usan el champú para caballos aquellos a quienes les dejó el cabello como crines recién lavadas.

Mercadona lo que hizo fue detectar una tendencia y poner en primera línea su oferta. Lo que cabe preguntarse es en qué medida contribuyó la empresa valenciana al *boom* del champú con biotina, y para calibrarlo nada mejor que repasar la historia de la sección más rentable de sus tiendas, que disparó su número de marcas propias.

Oro en la perfumería

Las cuatro grandes marcas que la empresa había potenciado desde 1996, Hacendado, Deliplus, Bosque Verde y Compy, fueron creciendo hasta abarcar prácticamente cualquier producto presente en sus lineales, con la singularidad de los que tenían una marca propia diferente, como la cerveza Steinburg. Eran unas pocas, hasta que llegaron los perfumes y la cosmética. Un día de 2003, en una reunión en la furgoneta, el comité de dirección tomó una decisión que sacudió el sector de la perfumería. Esta sección era una más en los supermercados, que funcionaba porque los clientes pasaban por allí en busca de la fruta, no porque fuesen a Mercadona a comprar colonia. En el sector de perfumería, las colonias y los productos cosméticos tenían márgenes comerciales muy superiores a los de las lentejas, tanto para los fabricantes como para los distribuidores. Por ello, al equipo de Juan Roig no le fue difícil valorar a simple vista el potencial que este negocio tenía dentro de sus establecimientos si lanzaba una oferta de precios bajos.

La idea contaba con todos los ingredientes para triunfar. El primero, los millones de personas que recorrían los pasillos de la sección, que fueron redecorados e identificados como la Perfumería de Mercadona. En cada supermercado situaron a varios empleados para informar al «jefe» y hacerle ver que estaba en una tienda dentro de otra tienda. Podía pasar por la perfumería cada vez que fuese a Mercadona. El segundo ingrediente era el precio. Al principio, Mercadona prescindió de los altos márgenes del sector y ofreció productos de marcas conocidas bastante más baratos, pero enseguida descubrió que podía hacer más, ya que sus interproveedores, RNB Cosméticos y el perfumista Antonio Puig, eran capaces de fabricar potingues y colonias que no tuvieran nada que envidiar a los de gama media en el mercado. No se trataba de imitar, como hacen las perfumerías baratas, sino de crear olores, colores y texturas nuevos. Y marcas nuevas, el tercer ingrediente del éxito.

Para poner todo en marcha hacía falta investigación, desarrollo de nuevos productos y algo que en este sector es decisivo: el diseño, el cuarto ingrediente de la fórmula. RNB Cosméticos tenía la I+D y, de acuerdo con Mercadona, contrató a Lavernia & Cienfuegos para que el frasco de sus esencias resultara atractivo. Nacho Lavernia es uno de los más reputados diseñadores de la Comunidad Valenciana, Premio Nacional de Diseño en 2012. Sus creaciones para Mercadona fueron la palanca definitiva de la sección de perfumería, cuyos productos propios no acababan de arrancar en los primeros años. En 2005, le encargaron el diseño de los envases y la marca ComoTú, una colección de ocho fragancias que multiplicó sus ventas. La siguieron los diseños de las colonias 9.60, Criteria, entre otras, y del conjunto Fresca y Lavanda, agua de colonia en grandes envases. Por muy barato que fuera el producto, el diseño marcaba una diferencia en su éxito comercial. Nacho Lavernia lo explicaba así, años después, en una entrevista publicada por el diario *El Mundo*: «Todos los objetos tienen tres valores. El de cambio, que es lo que estás dispuesto a pagar por ese objeto. El valor de uso, que es lo bien que te funciona o no. Y el valor de signo, es decir, qué representa ese objeto para ti y como te verán los demás y tú mismo como poseedor de aquel objeto. Proyectamos nuestra personalidad a través de los objetos que nos rodean. Y a estos objetos del mercado masivo, que hasta ahora han estado no diseñados o muy mal diseñados, les hacía falta un poco de dignidad formal». Según el diseñador valenciano, los clientes no se planteaban si había diseño o no, pero sí que veían que por 8 euros podían llevarse una colonia con un aspecto tan estupendo como otra de 60 euros.

El contenido debía acompañar, siendo original y en buena medida innovador. RNB Cosméticos se ha esforzado por renovar periódicamente sus geles con propiedades diferentes y sus cremas nutritivas con ingredientes reclamo como el aceite de oliva o la urea. A las «jefas», pues la mayoría de los clientes de la sección de perfumería de Mercadona son mujeres, les encanta probar cosas nuevas, exóticas a veces, como la crema de caviar.

Tanta creatividad sufrió un tropiezo en agosto de 2012, cuando RNB Cosméticos y Mercadona retiraron once cremas y lociones Deliplus y Solcare (marca propia de productos solares) porque la Agencia Española del Medicamento y Productos Sanitarios (AEMPS) detectó la presencia conjunta de dos ingredientes que podían llegar a formar nitrosaminas, sustancias prohibidas, aunque su uso no entrañaba riesgos para la salud, según la AEMPS. Mercadona decidió unilateralmente retirar los productos y solventó el problema con un comunicado de RNB Cosméticos contando lo ocurrido. No era necesaria la retirada, pero hacía años que la empresa había marcado como prioritario el tema de la seguridad con un protocolo según el cual valía más ser rigurosos en exceso que quedarse cortos. Para ello, prometía al Ministerio de Sanidad unos controles internos exhaustivos, transparencia y, si algo fallaba, la retirada de los productos con un simple telefonazo.

Compradores asiduos, precios bajos, marcas propias y diseño. Esos cuatro ingredientes, más un producto innovador, hicieron de las perfumerías de Mercadona un lugar que ya no era de paso sino una sección a la que ahora la gente va a comprar y que, para muchos clientes, es el establecimiento que cubre todas sus necesidades referentes al aseo y el cuidado personal.

La apuesta por esta sección disparó el número de marcas propias de la empresa, empezando por la colección de perfume Hortensia H, lanzada a principios de 2004 en homenaje a la esposa de Juan Roig, Hortensia Herrero. Mercadona tenía, diez años después, medio centenar de marcas de perfumes, como Adalis, 4 Square, ComoTú y 9.60, o de cosmética, como la de cremas solares Solcare. Esto significa que el líder de la distribución en España no es un simple vendedor de colonias, igual que no es un simple vendedor de pan o de cerveza. Mercadona es la primera empresa de alimentación y hogar de España, propietaria de muchas marcas, que planifica y dirige la producción y es distribuidora en exclusiva. Lo único que no hace es fabricar, como tantas otras grandes firmas, por ejemplo de calzado, que diseñan y venden sus zapatos pero subcontratan la producción. O como Ikea.

Mercadona-Ikea, parecidos razonables

La multinacional del mueble Ikea logró hace años el sueño de cualquier distribuidor, esto es, que el cliente se sienta a gusto en cualquiera de sus establecimientos, en todos ellos, como en casa, gracias a un conjunto de productos, decorados, colores, olores y sonidos estandarizado. Una oferta exclusiva. Lo que uno encuentra en Ikea no lo encuentra en otras tiendas de muebles, y a la inversa. La empresa fundada por Ingvar Kampvad construye una realidad a gusto del consumidor en la que todo es marca blanca, con ese ramillete de productos que constituye su popular catálogo. Ikea diseña y vende, no fabrica. Su oferta es limitada, en algunos casos corta, pero suficiente para millones de personas de clase media que todos los días recorren sus pasillos en medio mundo. Hay otros millones a los que no les gusta el estilo, el formato del establecimiento o tener que montarse el mueble, pero los seguidores de la multinacional de origen sueco son legión, suficientes para llenar las tiendas y demandar nuevas allí donde no las hay. Los motivos, además del diseño, son que sus precios son siempre bajos, su calidad aceptable, sus acabados buenos y su servicio al cliente ejemplar. El parecido con Mercadona es, pues, razonable.

Juan Roig nunca se ha referido a Ikea como modelo, pero las coincidencias son tantas que cabe pensar que algo se le ha pegado o que las dos compañías se han inspirado en los mismos referentes. Ambiente uniforme, precios bajos, calidad media y buen servicio al cliente, siempre volcados con el «jefe». Pero algo más tendrán cuando solo Ikea, Mercadona y alguna gran empresa más, como Zara, consiguen cientos de miles de clientes incondicionales que hacen caso omiso a los reclamos de la competencia. A diferencia de Ikea, y también del grupo textil fundado por Amancio Ortega, los supermercados no venden solo sus productos exclusivos, sino también los que pueden encontrarse en otras cadenas. No obstante, el monstruo en que se ha convertido Mercadona tiende a devorarlos y los encamina hacia una desaparición paulatina. Baste reseñar que si uno busca tomate frito en un súper Mercadona, tendrá complicado encontrar uno que no sea Hacendado.

Juan Roig comprendió hace años que su modelo de Gestión de Calidad Total no podía dejar suelto el cabo de la producción. Se siente tendero, pero no es un simple dependiente que se limita a escuchar las ofertas de los proveedores, comprarles artículos y poner los productos a disposición de los clientes. Su compromiso era y es el de ofrecer siempre precios bajos, para lo cual hace falta adquirir barato, ajustar cada céntimo. De ahí la estrategia con los interproveedores. El resto de los proveedores de Mercadona, con sus marcas, sus precios y sus caprichos, son un «problema» que no tienen Ikea ni Zara. La pregunta es si dejará de ser un inconveniente también para una empresa en la que la marca blanca ya representa en torno al 40 por ciento de sus ventas. Es una evidencia que las marcas han vivido un arrinconamiento progresivo en los estantes de Mercadona, más acusado desde que la compañía eliminó de golpe casi un millar de referencias a finales de 2008, como se ha explicado. Desde mucho antes, Juan Roig había justificado la progresiva implantación de la marca blanca con un nuevo término en su vocabulario: el *totaler*.

El *totaler*

Si Mercadona no es un simple distribuidor, como ha quedado claro, entonces ¿qué es? Según Juan Roig, Mercadona es un *totaler*, palabra que parece inglesa pero que no existe en la lengua de Shakespeare, ni en ninguna otra. Es un término inventado por el presidente de Mercadona, quien lo pronuncia en valenciano con acento agudo, que podría equipararse al también inventado palabro castellano *totalero*, algo o alguien que es total. Significa que Mercadona le hace el favor al «jefe» de seleccionarle una serie de marcas para cada producto, de entre las decenas de miles que hay en el mercado. Según explicó Juan Roig en el Colegio de Economistas de Valencia en 2005, «en España hay mil marcas de leche», que no podrían ofrecerse ni en el mayor de los hipermercados. ¿Cuál es el criterio para poner una y no otra en los estantes? «Tras observar mucho al cliente nos dimos cuenta de que lo que quería era simplemente una leche buena, que le eligiéramos una de las mil que había y que se la ofreciéramos lo más barata posible.» Así justificaba la reducción de marcas cuando aún tenía en sus establecimientos una decena. Con el tijeretazo de 2008 el empresario se quedó con Pascual, Puleva, Asturiana y Hacendado, las líderes y la marca propia, y redujo la variedad de leches, manteniendo las tres básicas, entera, semi y desnatada, sin tanta oferta de complementos con omega 3, vitamina D o calcio.

En muchos productos, solo la marca líder del mercado compite con la de Mercadona. En otros, como en el caso del atún en conserva, la única que uno puede encontrar en sus supermercados es Hacendado, fabricada por la compañía gallega Escuris, que tiene su propia marca en otros establecimientos pero no en Mercadona.

Juan Roig reveló en la referida conferencia de 2005 en el Colegio de Economistas de Valencia que la diferencia entre la leche Hacendado y las de otros productores es, en ocasiones, inexistente, ya que las mismas vacas dan para una u otra marca y hasta suelen compartirse cisternas en el transporte a la envasadora. Y remató: «En prueba ciega rompemos la teoría de la distinción de las marcas porque normalmente no se descubre qué marca es tal o cual leche». No le falta razón en lo que atañe a la confusión de fabricantes y marcas, como se verá con el caso de Bimbo en el capítulo 3.

El *totaler* elige las marcas, sí, pero ese trabajo lo hace cualquier distribuidor, aunque no presuma de ello. ¿Algo que añadir? Sí, que el *totaler* es mucho más; es todo el trabajo previo, toda la estrategia ya descrita para que esas marcas elegidas y la oferta propia de Mercadona se ajusten lo más posible a los gustos del cliente o, si no es así, procurar que este acabe cambiando de gustos e interiorizando que los que le propone su supermercado son los más adecuados. El *totaler* es el distribuidor ideal, que escucha al «jefe», lo observa, conoce sus necesidades y trata de anticiparse a sus peticiones. El resultado es el «carro menú», otra expresión del peculiar «diccionario» de Juan Roig con el que en Mercadona vigilan que el precio medio de la compra habitual no se dispare.

Tener al «jefe» satisfecho adivinando sus necesidades es el gran objetivo de Mercadona, y eso supone observar, escuchar, anticiparse y una cuarta actitud menos agradable, rectificar cuando el «jefe» está insatisfecho. Rectificar es algo que a Juan Roig le cuesta cada vez menos, y el reconocimiento de sus errores forma parte de cualquier exposición que hace de su estrategia. Roig presume de rectificar, porque cada renuncia no es para él una marcha atrás sino un cambio de sentido en el camino de Mercadona, a veces un volantazo para esquivar a una vaca. Cada marcha atrás se convierte en una estrategia nueva que el empresario bautizará con un nombre que nadie en la organización olvidará. Así lo hizo al rectificar una de las decisiones que más rechazaron los clientes y que costó y sigue costando mucho dinero a Mercadona.

Hacer las ruedas cuadradas

El propósito de innovar lleva a los empresarios audaces a cometer lo que a simple vista parecen desatinos. Los competidores vigilan con una mezcla de temor, por si han acertado, y de regodeo, al imaginar el posible trompazo. «Este se la va a pegar», dicen, y se sientan a esperar. Si a la larga tienen que reconocer que aquel empresario acertó, qué mejor homenaje que copiarle, aunque sea tarde. Si se equivocó, exclaman el inevitable «Ya lo decía yo».

Juan Roig dio en los primeros años del nuevo siglo una vuelta de tuerca a su paternalismo sobre los clientes. Decidió que lo mejor para su seguridad era envasar los productos frescos para garantizar su trazabilidad, es decir, que frescos como la fruta fuesen menos frescos y que otros frescos como la carne se vendiesen como si no lo fuesen, en bandejas. A finales de 2003, renunció a sus orígenes empresariales y retiró los mostradores de carne al corte, que se vendía «una burrada» cuando Cárnicas Roig montó las carnicerías que con el tiempo se convirtieron en supermercados. Sustituyó los mostradores por estanterías llenas de bandejas y puso asistentes para explicar lo inexplicable. «Dijimos: "Vamos a hacer las ruedas cuadradas, vamos a vender frescos como si fueran secos". Nos equivocamos», admitió diez años después el presidente de Mercadona.

La empresa sospechaba que la idea iba a contrariar al «jefe» y se adelantó a sus quejas. Organizó charlas en los propios supermercados para explicar la medida y situó personal junto a los lineales de bandejas de carne para orientar al cliente. «Venta asistida en bandejas», llamó al invento. Las bandejas las servía Martínez Loriente, una empresa de procesados cárnicos que había creado dos años antes la propia Mercadona con dos interproveedores, Incarlopsa y Embutidos Martínez, y que abrió una gran fábrica ex profeso en Cheste (Valencia).

El plan no afectaba solo a la carne, sino también a todos los frescos, es decir, pescado, fruta y hortalizas, así como productos de horno. El pescado en bandejas se probó en Canarias y Aragón, donde estaban las plantas de procesado de Caladero (interproveedor que entró en crisis y Mercadona acabó adquiriendo). Fue un fracaso. La fruta pelada y cortada en bolsas, que la cadena lanzó a través de otro interproveedor de Castellón en el que participaban varios empresarios de la zona, tampoco podía triunfar en un país que exporta casi toda la fruta en conservas que produce, que es mucha, porque a los españoles les gusta tomarla fresca. El presidente se dio cuenta con el tiempo de que si cada supermercado tiene a su alrededor ocho o diez fruterías es por algo, es porque las chirimoyas de Mercadona «parecen balones, que las tiras al suelo y rebotan», mientras las fruterías irradian frescura. Frescura es ofrecer las frutas y las hortalizas de temporada, y no empeñarse en tener a la venta sandías en invierno y naranjas en verano importadas del hemisferio Sur para que el cliente tenga de todo, cuando no las va a echar en falta si no están. La idea de vender frescos como secos parecía buena desde todos los puntos de vista. Abarataba los costes logísticos y laborales, ya que haría falta menos personal, y el cliente haría la compra sin colas. «Claro que no había colas, porque un poco más y perdemos a todos los clientes», bromeaba Juan Roig al recordarlo.

Seis años tardó Mercadona en tomar la decisión de rectificar, en 2009. Una marcha atrás que no se hizo de un día para otro sino en cinco años, con mucha cautela. Un error como el de los frescos difícilmente se repetirá en el líder de la distribución porque ahora cada medida se estudia más a fondo, se consulta con el «jefe» en los laboratorios y se prueba durante largo tiempo en varios supermercados antes de implantarse en toda la red. Las pruebas de laboratorio demostraron que también en la sección de charcutería el consumidor sin prisas prefiere ver cómo le cortan el jamón, el chorizo y el queso antes que llevárselo envasado. Así que, también en esta sección, la empresa anunció que pondría mostradores. La estrategia marcó el inicio de una nueva etapa en la relación entre el *totaler* y el «jefe», que dio origen a otra categoría de cliente rápidamente bautizada por Juan Roig.

El «jefe» enamorado

Casi una década había durado el pulso entre el *totaler* y el «jefe» a propósito de los frescos en bandejas. No era la primera vez, ni fue la última, que Juan Roig trataba de colar al cliente una medida que podía no ser de su agrado, pero que aseguraba que lo hacía por él, por el trabajador, el proveedor, la sociedad y el capital. Lo hacía para reducir costes, bajar más los precios, hacer más cómoda la compra y la venta y, finalmente, ganar más dinero. Roig se había habituado a sorprender y a veces a disgustar al cliente con decisiones valientes para anticiparse a sus necesidades, pero estas anticipaciones tenían algo de imposición.

El acto público de contrición representó la victoria del «jefe», no tanto por la decisión en sí como por haber obrado un cambio de actitud en Juan Roig hacia el cliente. Ya no iba a ser tan osado. A partir de entonces, cada decisión estratégica se pondría en marcha con pies de plomo, se sopesaría una y otra vez, y cada producto nuevo se sometería a pruebas ciegas y exámenes en los laboratorios de la empresa. En ellos fue identificado un perfil de cliente al que se buscó una identidad que habla por si sola: el «jefe» enamorado. El enamorado es el cliente que va a buscar el producto esté donde esté, y Mercadona debe detectar qué necesidad tiene el comprador para ofrecérsela y que este no tenga que ir a buscarlo a la competencia.

Los clientes habituales de Mercadona, aunque no entren en la categoría de enamorados, reconocen cada vez más las novedades que la compañía lanza como sorpresas que hay que probar, comentar y, en su caso, recomendar. Mercadona y sus novedades son tema de conversación entre amas de casa, en las comidas familiares y en las redes sociales. Mercadona está en el candelero, que es algo que consiguen pocas empresas. Y lo mismo ocurre con su presidente. Cientos de blogs, páginas de Facebook y foros en internet comentan la actualidad de la compañía, que, por lo que se lee a favor y en contra, no deja indiferente a nadie.

El «jefe» enamorado visita a diario o casi el supermercado, lo recorre sin prisas, charla con los cajeros y confía en sus recomendaciones ciegamente. Prefiere Hacendado, Deliplus y Bosque Verde a todas esas marcas caras que no le aportan nada. Se siente en el supermercado como en casa, sensación a la que ha contribuido el concepto de «tienda por ambientes» introducida en el año 2000, que conllevó una considerable inversión y, en no pocos casos, cortar por lo sano.

Lo más visible del nuevo diseño de los supermercados fue la ambientación con los colores más adecuados para cada sección: azul para el pescado, verde para las frutas y hortalizas, granate para la carne, amarillo para el horno, etcétera. El ambiente se iluminó con más neones blancos, los pasillos se ensancharon como si de un hipermercado se tratase, y las neveras y los congeladores se alejaron de las entradas. Lo menos visible para el cliente fue el esfuerzo de inversión que supuso para la empresa, que tardó varios años en acondicionar los más de 500 supermercados que tenía entonces, a la vez que mantenía el ritmo de expansión por España en forma de mancha de aceite.

«Este súper lo cerramos»

Uno de los problemas con los que Juan Roig tropezó fue el del tamaño. Poner pasillos anchos en las tiendas nuevas era muy efectivo. Abría Mercadona en Zaragoza y los clientes quedaban maravillados por las luces, los colores y los espacios del recién implantado, en comparación con los supermercados existentes. Pero en una cadena que había nacido en 1981 con un modelo de tienda de unos 300 metros cuadrados de zona de ventas, luego ampliada a entre 800 y 1.000, el ensanchamiento de los pasillos no era sencillo. Allí donde pudo y valía la pena, Mercadona alquiló o compró el bajo contiguo y amplió la superficie de ventas. Sin embargo, hubo de echar el cierre en otras tiendas.

Entre los establecimientos cerrados, algunos provenían de la cadena Superette, adquirida por Mercadona en 1988 con 22 tiendas en Valencia de un tamaño medio de unos 800 metros cuadrados. Y entre ellas, destaca el caso del súper de la calle Poeta Quintana de Valencia, junto a la plaza Alfonso el Magnánimo, también conocida como el Parterre, el único supermercado próximo a la milla de oro comercial de Valencia, cercano a varios grandes almacenes de El Corte Inglés. Solo Consum contaba con un súper en la zona, también muy pequeño, algo más alejado de un cogollo donde los precios de los bajos solo admiten *boutiques* —sobre todo del imperio Inditex—, joyerías, franquicias de nivel y puntos de venta Nespresso. Mercadona acondicionó el supermercado, le puso colorido y trató de ensanchar los pasillos, pero sus poco más de 600 metros cuadrados limitaban tanto los espacios libres como la oferta. De hecho, su número de referencias era notablemente inferior al de una tienda estándar de la cadena, y así era imposible disputarle la burguesía residente en la zona al supermercado de El Corte Inglés, que ocupaba todo el sótano del gran almacén de Colón, la antigua Galerías Preciados. Era una joyita de la que Mercadona no quería desprenderse.

Juan Roig optó por solucionar el problema por la vía más rápida, comprando el local contiguo para ampliar el establecimiento, pero se encontró una vaca en el camino ante la que tuvo que recular. Fue un vecino de uno de los edificios, un solo vecino, el que impidió la unanimidad preceptiva para que la comunidad aceptara la unión de los dos bajos. No quería dinero, no quería fastidiar, solo quería que le quitaran el supermercado de delante de su ventana porque le molestaban los camiones cuando descargaban. Y no cedió. Cuatro años después de comprar el local de Poeta Quintana, con el mercado inmobiliario a la baja, Roig encontró una oportunidad para instalarse a lo grande al lado de El Corte Inglés de Colón, el que tiene el supermercado en el sótano. Era un amplio local de dos plantas, bajo y sótano, donde estuvo la sede regional del Banco Santander hasta finales de los años noventa. En abril de 2010, Mercadona inauguró el supermercado de la milla de oro y cerró la joyita heredada de Superette, cuyo inmueble alberga ahora el centro universitario EDEM (Escuela de Empresarios), promovido por Juan Roig y la Asociación Valenciana de Empresarios.

La inauguración de esta tienda significó un hito en la expansión de la empresa que nació como cadena de supermercados de barrio y ahora apuesta por hacerle la competencia a El Corte Inglés en su propio terreno. El experimento debió de ser satisfactorio, porque dos años después confirmó la alternativa en el barrio de Salamanca de Madrid, con un establecimiento en un centro comercial de la calle Serrano que el primer día tuvo como compradoras de excepción a la alcaldesa, Ana Botella, y a la presidenta de la comunidad en aquel entonces, Esperanza Aguirre. Fue un espaldarazo a la imagen de Mercadona y la confirmación visual del relevo del macho dominante en la manada de la distribución comercial.

El nuevo macho alfa

La etología denomina macho alfa al preponderante en el grupo, el que marca el paso, el más popular. Desde que Ramón Areces superó a su gran rival, Galerías Preciados, a finales de los años setenta, El Corte Inglés fue el líder indiscutible de la distribución en España, el más grande e influyente, el macho alfa que marcaba el paso de las rebajas, decía cuándo comenzaba la primavera y definía la categoría de las ciudades, pues las había de dos clases: las que tenían Corte Inglés y las que no. Los demás eran imitadores o revientaprecios sin la excelencia de los grandes almacenes por antonomasia. Ni siquiera la entrada de las grandes multinacionales francesas hizo sombra al grupo dirigido desde los años ochenta por Isidoro Álvarez, sobrino de Areces. Todos aspiraban a ser segundos, incluido Juan Roig, que copió de Álvarez algunas maneras, como la de decir lo que tenía que decir una vez al año, a la usanza de los banqueros en los años ochenta, en una rueda de prensa.

Unos días antes de que Mercadona abriera su supermercado de la madrileña calle Serrano, Juan Roig anunciaba unos resultados anuales, los de 2011, que por primera vez superaban en facturación y beneficios a El Corte Inglés. El relevo en el liderazgo se confirmaría cinco meses después, al anunciar Isidoro Álvarez los resultados de su empresa. Ni el más confiado en las posibilidades de Mercadona, que no es otro que su presidente, habría creído solo unos años antes que aquello fuese posible. En 2007, El Corte Inglés facturó 17.898 millones de euros y obtuvo un beneficio de 748 millones, mientras que las ventas de Mercadona ascendieron a 12.985 millones, con un beneficio de 336, menos de la mitad que el líder. En 2012, las ventas del grupo de Isidoro Álvarez habían caído hasta los 14.552 millones y sus beneficios a 171 millones, superado por la empresa valenciana, que facturó 17.523 millones y ganó 508, el triple que el macho destronado.

El Corte Inglés tardó en aceptar la situación, pero terminó sumándose a la exitosa estrategia del nuevo líder, introduciendo marcas blancas y bajando drásticamente los precios de su supermercado. Con sus establecimientos de alimentación y hogar Mercadona había logrado derrotar a un grupo que, además del supermercado, ofrece otros muchos artículos y servicios, algunos financieros, en distintos formatos. En el negocio textil, El Corte Inglés también fue superado el año siguiente por Inditex (Zara, Pull & Bear y Massimo Dutti, entre otras cadenas), que en 2012 se situó como la segunda empresa de distribución española.

Las cifras dieron «oficialidad» al relevo en el liderazgo de la distribución, apreciable quizá desde 2008. En pleno desconcierto por el estallido de la crisis, el presidente de Mercadona se convirtió en un referente en el sector y en la economía en general por su arrojo, no exento de polémica. Fiel a su máxima de que «en Mercadona, lo más estable es el cambio», el empresario ponía patas arriba su estrategia y recomendaba a todos hacer lo mismo porque la crisis iba para largo. En plena depresión, dejó helados a los españoles al advertir que «lo único bueno de 2011 es que será mejor que 2012». Desgraciadamente, acertó. Juan Roig fue invitado a entrar en los círculos de poder nacionales dominados por líderes de grandes bancos, eléctricas y constructoras. Era la voz de la distribución, el nuevo líder del sector, el que marca el paso, el nuevo macho alfa.

El Corte Inglés cautivó a millones de familias con un eslogan, que cumplía a rajatabla, en una época en la que en España el servicio al cliente dejaba mucho que desear: «Si no queda satisfecho, le devolvemos su dinero». Juan Roig puso el precio como cebo en una España postolímpica que acababa de empobrecerse y resistió la tentación de quitar el reclamo en la época de vacas gordas. La suya fue una apuesta a largo plazo en la que implicó a toda su organización, tanto interna como externa, a más de 70.000 trabajadores y más de 100 interproveedores que no tienen ninguna duda de quién es el que manda en Mercadona, aunque el «jefe» sea el cliente.

2
El trabajador

En marzo de 2011, el autor de este libro preguntó a Juan Roig en su rueda de prensa anual los motivos por los que 3.000 trabajadores, de un total de 70.000, habían salido de la empresa el año anterior, la mayoría de ellos despedidos. Su respuesta fue la siguiente: «Nuestros salarios son más altos, pero para eso debemos tener una alta productividad, y hay gente que cree que sin ese nivel de productividad puede ir en el barco de Mercadona». Al año siguiente el número de despidos había sido algo menor, la pregunta la misma y la respuesta parecida: «Hay mucha gente no renovada porque no está de acuerdo con la cultura del esfuerzo nuestra o porque no ha estado bien dirigida». En 2013, el propio presidente consideró «una burrada» el número de despidos, que, aun así, había bajado ligeramente de nuevo, y prometió que en 2015 «sería cero». En todos esos años Mercadona aumentó su plantilla, con 6.500 trabajadores más en 2011, por ejemplo, lo que significa que cuando echa a la gente del barco no es para reducir el número de empleados. Es más, cada despido implica una pérdida económica para la empresa, en primer lugar por el dinero invertido en la formación del trabajador y en segundo lugar porque, si bien los despidos suelen ser disciplinarios, en no pocas ocasiones Mercadona opta por pagar una indemnización sin haber de llegar a juicio. No obstante, desde febrero de 2013 se ahorra los salarios de tramitación, que fueron suprimidos por el gobierno de España, y la compañía sale ganando en que los empleados que se incorporan lo hacen con un salario inferior al de los que han salido. El de los despidos en Mercadona es un asunto controvertido, y ello se advierte en internet donde abundan las críticas a la política laboral de la empresa valenciana, como es lógico con tanto damnificado, mientras sus responsables hacen gala de pagar unos sueldos y tener un convenio colectivo que ya querrían para sí otros trabajadores del sector de la distribución. «Tienes muy buenas condiciones, pero te las ganas», resume la trabajadora X (a lo largo de este capítulo hablarán también los trabajadores Y y Z, así como la ex trabajadora W, quienes, por razones obvias, prefieren no ser identificados).

La política de recursos humanos de Mercadona fue uno de los cambios más importantes del modelo de Gestión de Calidad Total que se puso en marcha en 1993. Hasta ese momento, las condiciones laborales eran similares a las del resto del sector de la distribución. Sueldos bajos y desiguales, horarios que se alargaban, ascensos arbitrarios y contratos que se hacían fijos cuando había subvenciones del gobierno socialista, que tuvo etapas de mucha generosidad. Mercadona recibió en 1985, siendo ministro de Trabajo Joaquín Almunia, una subvención por crear empleos fijos que dio que hablar durante años. Fueron 1.320,5 millones de pesetas por 835 contratos, a 1,58 millones de pesetas (casi 9.500 euros) por trabajador. No fue la única empresa beneficiaria, pero ninguna otra alcanzó una cuantía global tan llamativa. Mercadona era una empresa familiar heredera de una cultura de las relaciones laborales donde el paternalismo era la nota dominante. Una cultura en la que al empleado se lo contrataba de por vida y se esperaba de él una implicación alta, a cambio de beneficios sociales, ayuda personal del empresario ante un problema o para que los hijos fueran a la universidad, colocación de familiares cuando había puestos libres y posibilidades de ascenso ilimitadas. Juan Roig tiene a gala que la mayoría de los directivos que han pasado por el comité de dirección de Mercadona han desarrollado toda su vida profesional en la empresa y han alcanzado la cima gracias a la promoción interna. Cualquier empleado que acaba de ser contratado es consciente de que, en unos años, puede llegar a formar parte del comité de dirección y quién sabe si a suceder a Juan Roig como máximo ejecutivo de la compañía el día que decida retirarse, que el presidente ya ha dicho que no va a ser pronto. Esta manera de vincular la vida laboral del trabajador al futuro de la empresa no cambió con la implantación del modelo de Gestión de Calidad Total.

Todo lo demás sí cambió, a mejor. Durante los primeros meses de 1993 corrió el rumor entre los trabajadores de que iban a cerrarse supermercados y anunciarse despidos. Pero ocurrió todo lo contrario. «El trato empezó a ser totalmente diferente. Antes, para ascender tenías que caer bien a tu jefe, pero después se hizo todo mucho más objetivo. Fue un cambio muy bueno, porque con un nivel de responsabilidad similar tenías el mismo sueldo. Había muchos interinos a los que hacían un contrato de un tipo y luego de otro; eso iba en contra de la Gestión de Calidad Total y dejó de hacerse», declara la ex trabajadora W.

El directivo encargado de poner en marcha toda esta política fue Carlos Calero, un joven abogado que trabajaba en el departamento jurídico hasta su ascenso al comité de dirección en 1995. Calero desempeñó un papel muy importante en la apertura de Mercadona a la sociedad, ya que era al mismo tiempo director general de Recursos Humanos y de Relaciones Externas. Fue el representante y la cara visible de la compañía en asociaciones empresariales y otros foros donde a Juan Roig no le apetecía estar pero quería que la empresa estuviese, como la Cámara de Comercio o la Confederación Empresarial Valenciana. Ningún otro miembro del comité de dirección ha alcanzado la proyección pública que tuvo Carlos Calero, ensombrecidos todos por la figura de Juan Roig. Calero estaba considerado como el «número dos» indiscutible en un núcleo duro más colegiado que ahora. A diez años de la hipotética jubilación del presidente a los sesenta y cinco años, se lo situaba como el único candidato a suceder a Roig en la dirección de la compañía. Hasta que un día de septiembre de 2005 Carlos Calero murió a la edad de cuarenta años como consecuencia de un cáncer que le habían diagnosticado seis meses antes. No tuvo un sucesor en la cúpula, por más que la prensa señalase al veterano Manuel de Juan como «nuevo número dos». Cuando Calero falleció, había culminado la tarea por la que fue reconocido, la de implantar el modelo de Gestión de Calidad Total en el segundo nivel de la pirámide invertida, bajo la premisa de la verdad universal de la reciprocidad: primero dar, luego pedir y después exigir.

Primero dar...

El cambio de estrategia de Mercadona con sus trabajadores desconcertó a propios y a extraños. De pronto la compañía anunciaba que todos los contratos serían indefinidos, promesa que acabó de cumplir en 1999 cuando tenía casi 17.000 empleados y que sorprendió gratamente al entonces ministro de Trabajo, Manuel Pimentel, según dijo en público. La decisión iba acompañada de medidas para la conciliación laboral y familiar que fueron introduciéndose; entre otras, los trabajadores podrían pedir el traslado al establecimiento más cercano a su domicilio; los supermercados no abrirían en domingo, a pesar de que empezaban a liberalizarse los horarios comerciales; los horarios de todo el mes se entregarían a cada empleado el día 20 del mes anterior; se abrirían guarderías gratuitas para los trabajadores en algunos centros logísticos, y las empleadas que dieran a luz disfrutarían de un quinto mes de baja maternal. «El quinto mes es, en realidad, la acumulación del permiso de lactancia, que no es obligatoria, pero si pides la lactancia no está bien visto, es desleal con la empresa», matiza W. Entre las trabajadoras de Mercadona se producen unos 3.500 alumbramientos cada año, con sus correspondientes bajas. «Eso sí, yo estuve embarazada dos veces y no tuve ningún problema; todo lo contrario, te ayudan en lo que necesites y te buscan puestos donde no tengas que hacer esfuerzo. En eso funcionan muy bien», añade la ex trabajadora.

Los contratos indefinidos para todos sorprendieron, pero más chocante fue que se acompañaran de una subida de sueldos paulatina y progresiva, más alta en términos porcentuales cuanto más baja era la categoría del trabajador, de manera que la plantilla de Mercadona se convirtió en poco tiempo en la mejor pagada del sector de la distribución y del comercio. En 2013, tres de cada cuatro empleados cobraban más de 1.400 euros netos al mes y los recién contratados percibían 1.070. Eso sin contar la paga de beneficios que Mercadona entrega en marzo y que supone dos mensualidades para quienes llevan más de cuatro años en la empresa, una mensualidad si son entre uno y cuatro años, y ninguna si es menos de un año. En 2012, además de la paga de beneficios, Juan Roig decidió regalar 23 millones de euros a la plantilla para compensar la subida del Impuesto sobre la Renta aprobada por el gobierno, que había supuesto una merma en sus retribuciones netas. Fue un premio por los buenos resultados obtenidos.

«No es un trabajo de lo mío, pero cuando las cosas estaban muy mal me llamaron y me dieron un trabajo fijo. No es un trabajo cualificado, pero tampoco es "ponte en la caja a cobrar" y ya está, porque cuentan contigo, te preguntan, hay unos objetivos comunes y actuamos como un equipo para conseguirlos», comenta Z, que tiene una licenciatura universitaria y trabaja como cajera. En realidad, Z es gerente, como todos los empleados de los supermercados de la cadena, porque así lo establece el vocabulario de la compañía. El organigrama de Mercadona tiene seis categorías: presidente, directores generales —el comité de dirección—, coordinadores de zona o de división y gerentes A, B y C. Gerentes C son, por ejemplo, los coordinadores de tienda. Dentro de cada categoría, hay cinco tramos que dependen exclusivamente de la antigüedad del empleado, mientras que para ascender de categoría hay que superar un examen.

Los nuevos trabajadores entran como gerentes A. Cuando empiezan, pasan por un curso intensivo de Gestión de Calidad Total en el que se empapan de la filosofía de la empresa. Una de las tareas es la lectura y resumen de dos libros, *Los monstruos y el gimnasio* de Alberto Galgano y *El cliente ante todo* de Feargal Quinn, con los que aprenden la consideración que Juan Roig quiere que tengan con los clientes, los «jefes», o como los llama Galgano, los «monstruos». Según Galgano, gurú de la Gestión de Calidad Total, los trabajadores son atletas en el gimnasio (el supermercado) que deben esforzarse para complacer al «monstruo», que es un tragón insaciable, despiadado, exigente, vengativo y egocéntrico. La receta que Galgano da es que hay que amar al «monstruo» y satisfacer todas sus necesidades, y la lección para los lectores de su manual es que todos los trabajadores cuentan y que el proceso que cada uno de ellos realiza es importante para complacer al «monstruo».

Después del curso de Gestión de Calidad Total, los nuevos empleados reciben uno específico para el puesto que van a ocupar, sea en caja, en la sección de pescado, de carne o de perfumería, etcétera, y con el tiempo van asistiendo a más cursos para ser polivalentes. La polivalencia es una de las claves de la alta productividad de Mercadona. Los trabajadores están capacitados para hacer varias tareas, de manera que nunca paran, porque cuando hay menos clientes se repone género o se limpia el suelo, si falta un hornero titular hay otro compañero que ha aprendido esas habilidades y, cuando hace falta, todos ocupan las cajas para evitar que se formen colas. Los nuevos empleados llegan cada vez con más formación, e incluso hay licenciados que encontraron en Mercadona una salida a su situación de desempleo y aspiran a llegar un día a trabajar en las oficinas de la compañía. Trasladarse a estas últimas no significa necesariamente ascender; allí también hay gerentes B y C, la diferencia es que no están en las tiendas. En los supermercados hay economistas o ingenieros que ocupan puestos de cajeros, horneros o carniceros, con la vista puesta en un trabajo de lo suyo sin salir de la empresa. «Quieren que toda la gente que va a oficinas pase antes por uno de los establecimientos», explica Z. Ella está estudiando inglés porque para trabajar en las oficinas se exige un nivel intermedio de ese idioma. En la categoría superior, los coordinadores de zona o de división deben leer tres libros más de la biblioteca de *management* de Juan Roig y reciben cursos de liderazgo. El liderazgo es una habilidad que el presidente de Mercadona considera imprescindible para tener éxito.

Los exámenes y las evaluaciones están a la orden del día en los supermercados. «Aquí se tiene todo muy medido, hay que tener una disciplina y un control. Lo bueno de esta disciplina y este control es que yo me voy a una tienda de Valladolid y no tengo ningún problema de adaptación, porque trabajamos todos de la misma forma. Los precios también son iguales, no son diferentes en función de dónde esté el supermercado», comenta Y. La evaluación más importante se produce a final de año, ya que solo quienes aprueban se hacen merecedores de la paga de beneficios, que a su vez únicamente se cobra de manera colectiva si la empresa cumple los objetivos de ventas. Hasta ahora, siempre se ha pagado y el porcentaje de quienes se quedan sin ella por no pasar el examen ronda el 3 por ciento. Quien no supera la prueba corre el riesgo de ser despedido si no demuestra propósito de enmienda el año siguiente. El examen lo hace el superior inmediato del trabajador, que en el caso del personal de los supermercados es el coordinador de la tienda.

Consta de un cuestionario que el coordinador lee en voz alta y puntúa con el trabajador delante hasta darle la nota media final. Entre los aspectos que se valoran están el cumplimiento de lo que Mercadona llama «los métodos» de trabajo, la consecución de los objetivos individuales de ventas y la «eficacia hacia arriba», que significa que el trabajador tiene que hablar con el coordinador, explicarle todo aquello relativo a su función que no le guste, decirle lo que piensa e, incluso, confesarle sus problemas personales si los tiene. «El coordinador tiene que estar enterado de la vida personal», ratifica W. Se valora que haya confianza, pero no siempre es fácil. «Depende de quién sea el coordinador; los más antiguos suelen ser peores, se nota que están menos formados», advierte X, que también cuenta con una licenciatura universitaria. Añade esta trabajadora que, últimamente, esos veteranos que llevan más de veinticinco años en la empresa son los que más están saliendo. «Cada maestrillo tiene su librillo; unos coordinadores son mejores y otros peores, como sucede en todas partes», confirma Y, que ha estado a las órdenes de varios de ellos durante los muchos años que lleva en la empresa.

Un mal coordinador de tienda puede amargar el día a día de quienes tiene a su cargo, como pasa en cualquier trabajo. Lo que es más difícil en Mercadona es conseguir un ascenso solo por hacerle la pelota al superior, como ocurre en otras empresas. Promocionan quienes demuestran una alta identificación con la filosofía de Mercadona, la dedicación a satisfacer al «jefe», la cultura del esfuerzo. Los horarios se cumplen, pero cada una de las 40 horas semanales se trabaja a conciencia. Cada año promocionan más de 500 empleados, y casi todos son mujeres, ya que la empresa tiene un Plan de Igualdad que, entre otras cosas, recoge el compromiso de aumentar el número de estas últimas en los puestos de mando, especialmente en la parte alta del organigrama. Las mujeres representan dos tercios de la plantilla de Mercadona, pero solo un tercio ocupan puestos directivos, y habiendo llegado todos los miembros del comité de dirección a la cúpula por promoción interna es significativo que hasta 2010 no entrara en el núcleo duro la primera mujer, Julia Amorós, quien había hecho méritos como coordinadora de la sección de perfumería.

La otra cara de la moneda son las *demociones*. El verbo *democionar* es otra entrada del diccionario no editado de Mercadona y significa lo contrario que promocionar. Cuando la empresa considera que alguien no encaja en el puesto al que había sido ascendido, se lo *demociona* a la categoría anterior. Ocurre en todos los niveles a partir de coordinador de tienda, que en un momento dado puede ser enviado como gerente al horno o a la carnicería, y alcanza incluso al comité de dirección, cuando no abandonan la empresa al dejar de pertenecer al órgano supremo.

Luego pedir...

Juan Roig quiere que sus empleados, del primero al último, sientan la compañía como la siente él, que se impliquen en el proyecto y den todo de sí para lograr los objetivos comunes. Que los asalariados hagan suyos los intereses del empresario para el que trabajan es factible, pero hay dos premisas: que el empleado esté dispuesto y que se sienta realizado en el desempeño de su trabajo. Mercadona trata de conseguir esa empatía con medidas como la inmersión en el modelo con los cursos de formación para los nuevos en lo que denomina Plan de Acogida, los salarios altos y el sueldo variable mediante la paga de beneficios y la combinación de cualificación profesional progresiva y ascensos sin techo, que hace que los trabajadores desarrollen toda o gran parte de su vida laboral en la empresa. Algunos comparan los métodos con los de una secta, por el adoctrinamiento en la cultura del esfuerzo y la identificación plena de muchos empleados con los dogmas de Juan Roig, que hasta tiene un vocabulario particular. Es el caso de Y, quien a la pregunta sobre el nivel de exigencia en su ocupación, se identifica sin fisuras con los mensajes del presidente de la compañía: «Hay mucha exigencia. Una de las formas de mejorar es siendo autoexigente y que el que manda sea exigente. La productividad no es trabajar más, sino mejor, y esto es lo que la empresa reclama y controla». Juan Roig quiere que sus más de 74.000 empleados sean como Y, que no solo demuestren fidelidad al proyecto, compromiso y esfuerzo, sino que lo hagan felices de pertenecer a una empresa «de primera división», como les recuerdan; que se sientan orgullosos de formar parte de una de las mayores compañías españolas, que sientan sus éxitos como propios. Quienes no estén a gusto, Juan Roig prefiere que se marchen, puesto que «hay cola para entrar». Quienes no son capaces de seguir el ritmo intenso que Mercadona impone para satisfacer al «jefe» también le sobran. Y quienes no están pensando qué pueden hacer ellos por la empresa sino qué puede hacer la empresa por ellos no merecen, a su juicio, viajar a bordo del transatlántico valenciano.

«No pienses lo que España puede hacer por ti, sino lo que tú puedes hacer por España.» A Juan Roig le gusta parafrasear a John F. Kennedy cuando da consejos para salir de la crisis. Considera que vive en un país donde se trabaja poco, de ahí su insistencia en la cultura del esfuerzo. «En España hay 7.000 bazares chinos; cada vez hay más porque ponen en práctica la cultura del esfuerzo, algo que nosotros no hacemos; nos producen admiración y aprendemos mucho de ellos.» La frase, dicha en una de sus ruedas de prensa anuales, fue desafortunada porque los chinos, aunque sin duda son muy trabajadores, tienen en su país unas condiciones laborales que cualquiera diría que Juan Roig deseaba para su empresa. Lo cierto es que la soltó solo para comparar la disciplina oriental con la media tensión de los españoles en general, pero fueron tantas las críticas que recibió que al año siguiente evitó dar más consejos, después de un lustro diciendo a todo el mundo lo que tenía que hacer. «¿Me ve usted más prudente? Yo ni me conozco», respondió a una periodista que le preguntó por su comedimiento. Morderse la lengua era renunciar, momentáneamente, a arreglar el país, porque Juan Roig sienta cátedra desde el convencimiento de que si todas las empresas trabajasen como Mercadona, España sería más competitiva. De momento, ha conseguido que sus interproveedores y los emprendedores a los que forma se apunten al modelo que Mercadona empezó a implantar en 1993.

«Desde el principio se cumplió a rajatabla la Gestión de Calidad Total y se vivía muy bien, se trataba muy bien a los trabajadores. Todos teníamos que utilizar el vocabulario de la Calidad Total, ser exigentes con nosotros mismos. Primero pensar y luego hacer. Impartíamos muchos cursos y seminarios sobre ese modelo de gestión, en jornadas de media tarde. Con los cursos y con el día a día, los trabajadores se iban convenciendo. Es un modelo que funciona muy bien si se aplica como se debe aplicar», recuerda W. Esta inmersión en la Gestión de Calidad Total facilitaba el objetivo de que los empleados se esforzasen por hacer bien su trabajo.

Había, no obstante, un problema no resuelto, el del absentismo. Juan Roig va a trabajar así le duela la cabeza, tenga fiebre o le martiricen sus problemas de espalda, y quiere que sus trabajadores hagan lo mismo. Quien no pueda que no vaya, pero no ha de poder de verdad. Sabe que parte de las bajas laborales que se producen en España son fraudulentas, así que prefiere pasarse que quedarse corto en el control. En 2012 presumía de que el absentismo en Mercadona era del 0,78 por ciento, «de gente que de verdad está enferma», frente al 6 por ciento que se daba en el conjunto de España. «A mí no me ha dicho nadie que no coja bajas, pero yo si tengo una gripe voy a trabajar, y mis compañeros también.

En Mercadona no hay bajas», exagera X. En Mercadona sí hay bajas, pero muy justificadas. Para eso la empresa cuenta con un centenar de médicos a los que es obligatorio llamar cuando uno tiene algún problema. Acudir al médico de la Seguridad Social a pedir la baja se considera una deslealtad que puede significar perder la prima de beneficios. Los médicos de la empresa «se ocupan, primero, de la salud de los trabajadores y, segundo, de ver si hay fraude en el absentismo», según Juan Roig. En realidad, la misión de estos facultativos es que se produzca el menor número de bajas posible y que estas tengan la justa duración. Ese es el objetivo por el que se va a evaluar a los médicos. Unos lo hacen mejor y otros peor, como los coordinadores. No es raro ver en los supermercados a algún trabajador con escayola o convaleciente de una operación, aún con los puntos, porque cumplida la misión de que no estén de baja, se les asigna lo que en Mercadona se denomina un «puesto adaptado» donde no tengan que realizar esfuerzos, a veces con reducción de horario. «Me he sometido a tres operaciones por las que estuve bastante tiempo de baja y no he tenido ningún problema. Recibí ayuda de la empresa y readaptación al puesto», explica Y.

Cuando el médico constata que la patología tiene la entidad suficiente para requerir una baja, entra en juego el segundo control sobre el absentismo: la mutua. Juan Roig se «compró» una en 1998. Ese año, Mutua Valenciana de Levante (Muvale) atravesaba una crisis que ponía en peligro su supervivencia, cosa que no ocurrió gracias a que Mercadona se apuntó a ella con sus 16.000 trabajadores y a que Juan Roig convenció a Bancaja y a otros grandes empresarios valencianos para que hicieran lo mismo. Cuando le presentaron a la nueva junta directiva, que tenía que nombrar un presidente, Juan Roig quiso saber quién era el más joven y lo señaló como el elegido. Se llamaba José Vicente Morata, que de esta manera ascendió a un puesto que le serviría de trampolín para acceder a las presidencias de la patronal de pymes autonómica y de la Cámara de Comercio de Valencia, entre otros cargos de representación empresarial. A continuación, Juan Roig envió a varios directivos de Mercadona a reconducir Muvale, encabezados por el que por entonces era director general de Administración y Finanzas de la cadena de supermercados, Héctor Blasco. El equipo de Blasco trasladó a Muvale el modelo de Gestión de Calidad Total y trabajó en perfecta simbiosis con el director de Recursos Humanos de Mercadona, Carlos Calero, en pro del objetivo de reducir al máximo el absentismo en la empresa. En un proceso de concentración de mutuas auspiciado por el Ministerio de Trabajo, Muvale se fusionó en 2006 con Umi, la mutua de grandes empresas como Iberdrola, Unión Fenosa, BBVA y Santander, con la que formó Umivale, de ámbito nacional y con el doble de tamaño. Umi tenía la sede social en Madrid, pero Juan Roig se empeñó en que la sede de la entidad resultante estuviera en Valencia y lo consiguió.

Con la mutua convertida en una extensión de Mercadona, seguía habiendo un pequeño inconveniente para los intereses de la empresa, y es que las altas de los trabajadores que estaban de baja por enfermedad común o por accidente no laboral eran atribución exclusiva de los facultativos de la Seguridad Social, lo que hacía que algunas altas que los médicos de Mercadona y Umivale firmaban no fueran aprobadas por los de la sanidad pública. Juan Roig es uno de los empresarios que más ha insistido en declaraciones públicas para forzar un cambio legislativo que permita a las mutuas encargarse de las altas, una postura que defiende la patronal CEOE y rechazan los sindicatos. Lo repite en público y presiona en privado a los políticos. El presidente de Mercadona habla claro cuando tiene que defender la actitud de los empresarios en materia laboral, a pesar de que no ocupa ningún cargo representativo en organizaciones patronales. Se representa a sí mismo. En 2013, aplaudió el cambio legislativo que facilita el relevo de los trabajadores de su empresa que no le gustan, al abaratar el despido. «Estoy totalmente a favor de la reforma laboral, y yo habría ido más lejos; hay que favorecer a los empresarios, los que crean puestos de trabajo son los empresarios», dijo cuando el gobierno de Mariano Rajoy aprobó su primera gran reforma laboral y el debate era si se había excedido.

La obsesión de Juan Roig por reducir el absentismo tiene que ver con su otra obsesión, la productividad, que se mide en términos de ventas medias por trabajador. Las ventas, a su vez, pueden valorarse en euros o en lo que en la casa se conoce como *kilitros*, que es la cantidad de kilos y litros de productos que pasan por caja. Juan Roig quiere que la productividad aumente cada año, tanto en euros como en *kilitros*, pero como Mercadona no es una fábrica de tornillos, existen unos factores exógenos que pueden dificultar la consecución de ese objetivo, como la crisis. Si merma el poder adquisitivo de las familias, es posible que las ventas caigan porque los españoles reducen el consumo, no porque los trabajadores de Mercadona se hayan vuelto unos vagos. O sí, según la opinión del presidente de la compañía, que un día de septiembre de 2008 se levantó enfadado y puso patas arriba su empresa.

...Y después exigir

«¿Quiere llevarse unas berlinas?», dice una cajera con una sonrisa, a media tarde, mostrando un paquete totalmente transparente y sin marca con cuatro donuts de chocolate de Mercadona. Si el cliente supiera la necesidad que tiene esa empleada de colocar las berlinas, se las llevaría. Ella y sus compañeros tienen unos objetivos marcados desde primera hora, hoy de berlinas, ayer de tomate frito Hacendado, mañana de gel Deliplus. Al final de la jornada van a evaluar la capacidad de esa cajera para cumplir objetivos, para ser productiva. «El cambio llegó a finales de 2008, en todos los ámbitos:

interproveedores, trabajadores... Se cambió muchísimo en aquella época, y es cuando empezaron las *demociones*», señala W. «Lo que cuentan es que en 2008 hubo un cambio. Al parecer, había gente muy acomodada», ratifica X, que fue contratada poco después. Ofrecer productos en las cajas no era lo nuevo, se hacía desde que se implantó el modelo de Gestión de Calidad Total. Cuando Mercadona eliminó las ofertas, convirtió a sus empleados en «prescriptores» de producto, como denomina a lo que se conoce habitualmente como «venta activa». El personal de cajas no se limitaba a pasar los artículos por el lector de código de barras y cobrar, sino que tenía una serie de objetivos de venta de productos. La diferencia estaba en la exigencia. A finales de 2008, Juan Roig se dio cuenta de que pedir no era suficiente y activó la tercera parte de la verdad universal de la reciprocidad. «Nos habíamos amuermado», reconoció después.

Cuando las ventas empezaron a resentirse por la crisis, el presidente no buscó culpables fuera de Mercadona, sino dentro. «Los coordinadores viven de puta madre a mi costa. Se meten en la oficina en lugar de estar en la tienda a ver qué quiere el "jefe" —se le oyó gritar en una reunión del comité de dirección—. No lo habéis visto venir», recriminó a sus colaboradores más cercanos, que a partir de entonces perderían peso en la toma de decisiones. Si la crisis iba a provocar una caída de las ventas en el sector de la distribución, tenía que afectar a otros, no a Mercadona. Esa fue la orden de Juan Roig. Para ello, obligó a sus interproveedores a reducir los precios revisando cada coste, eliminó un millar de referencias de sus estantes y apuró sus márgenes para conseguir precios aún más bajos. Con la cesta de la compra tan barata o más que los llamados *hard-discount*, el personal de los supermercados ya no tenía excusa para no vender más, al menos en *kilitros*. Y lo consiguió. El primer año, 2009, Mercadona vendió más *kilitros*, pero apenas aumentó la facturación en euros debido a la bajada de precios y ganó menos dinero. Al año siguiente, creció en euros, *kilitros* y, sobre todo, en beneficios, y al otro aún creció más. Juan Roig había adivinado que los españoles se guiarían en mayor medida por los precios y se había adelantado a la crisis con decisiones «valientes, aunque a veces sean impopulares y molestas», como las describió. El director general de la división de Tiendas, José Luis Blanes, fue sustituido por José Jordá, uno de los pocos ejecutivos con cierto peso en el renovado comité de dirección, del que poco antes había salido Manuel de Juan. Blanes creó en 2013 una consultora especializada en logística, Illán & Blanes Consultores, con la persona que hasta ese año había sido director general de Logística en la empresa, José Ramón Illán.

Atraer a los clientes a los supermercados se convirtió en el objetivo central de Mercadona. Todas las estrategias se encaminaron a cautivar a un «jefe», que se mostraba más esquivo que nunca en busca del mejor precio. De repente, los coordinadores de tienda ya no tenían que ir a los establecimientos de la competencia a ver qué hacían y presentar un informe. Ya no había que mirar a los rivales, había que arreglar lo de casa. Sin embargo, dos años después volvió a cambiar la estrategia para espiar otra vez a la competencia, incluidos los mercados de los pueblos. «La empresa no pide siempre lo mismo, van cambiando sus prioridades. El mercado está vivo y cada vez te exigen una cosa. No es lo mismo el consumidor actual que el de hace veinte años. Con la crisis, el de ahora pide productos de calidad al mejor precio posible. El cliente sabe lo que quiere y también es muy exigente», justifica Y.

Entre quienes sufrieron las decisiones valientes, impopulares y molestas estaban los trabajadores. La presión para vender más llegó a los confines de Mercadona por el habitual conducto jerárquico, con unos objetivos definidos y unos procedimientos no tan claros, al menos para algunos coordinadores de tienda. Cuando en la línea de caja se establecía el objetivo de vender 600 berlinas, la presión para los gerentes cajeros era asfixiante en ocasiones. «Depende mucho del coordinador que tengas; el que yo tenía antes a lo mejor te decía: "Si no se vende, a ver si te vas a ir al paro", o te estaba llamando cada media hora», recuerda X, quien reconoce que pasó una mala época. Aquel coordinador fue despedido y la que lo sustituyó es «más dialogante», mantiene la tensión por las ventas pero en positivo, en la línea que marca Galgano en *Los monstruos y el gimnasio* de gestionar al personal destacando sus características positivas y estimulando sus capacidades, en lugar de señalarles los aspectos negativos. Los trabajadores coinciden en que el coordinador de tienda es la clave. Los que actúan como los sargentos chusqueros del ejército tienen un poder sobre los subordinados casi absoluto, ya que son aquellos quienes reportan al coordinador de zona, su superior en la escala jerárquica, que los va a medir por los resultados, no por la forma de conseguirlos.

¿Obliga Mercadona a los empleados a comprar productos perecederos para que no haya que tirarlos, como se lee en algunos foros? «No, nunca. Lo que ocurre es que insisten tanto en que no tiene que sobrar nada que si hay muchas erres en la carne, a la carnicera le dirán que lo ha hecho mal, y entonces los compañeros le hacemos el favor de llevarnos una bandeja, porque otro día ella nos devolverá el favor con otra cosa. O cuando llega el día de Reyes decimos: "Nos llevamos un roscón cada uno", y así cumplimos objetivos», explica X. Cuando habla de «erres en la carne» se refiere a la R seguida de un número en la etiqueta de algunas bandejas de productos cárnicos, que es el límite que marca el supermercado para retirarlas de los mostradores, dos o tres días antes de la fecha de caducidad. «Es un esfuerzo muy grande, pero cuando ves que entre todos lo sacamos adelante sientes que formas parte de un equipo», apunta Z. En Mercadona no hay tiempos muertos y la procrastinación está prohibida. En las horas punta se trabaja a tope y en las valle se aprovecha para llevar a cabo las tareas que no ha dado tiempo realizar cuando el supermercado estaba lleno. «Depende de cada uno cómo se tome el tema de la exigencia. Si lo ves como una losa, es posible que no aguantes el peso, pero si te lo planteas como un reto, te ayuda a mejorar porque no te piden algo imposible, sino que trabajes mejor». Así resume el trabajador Y sus sensaciones, que Juan Roig querría que compartieran todos sus empleados.

A W la despidieron después de veinte años en Mercadona. Nunca entendió el porqué. Un día empezó la «recogida de hechos», las actas de los errores que un trabajador comete y que se levantan cuando va a ser despedido, según explica. Los despidos siempre son disciplinarios por advertencias reiteradas sobre falta de diligencia en las tareas. W demandó a la empresa, que le pagó la indemnización correspondiente y evitó el juicio, como suele ocurrir. Sin entrar en casos concretos, Mercadona reconoce que con tantos despidos seguramente los hay injustos, pero que son una pequeña parte. Juan Roig, igual que la CEOE, quiere un despido cuanto más barato mejor, aunque a su compañía ya no le haga falta, pues su poder económico le permite prescindir de quien quiera cuando quiera. Según esta forma de pensar, que comparte con otros patronos, cuando un empresario despide a un trabajador no lo hace por gusto, sino porque le sobra por razones económicas o, simplemente, porque prefiere sustituirlo por otro que se adapte mejor a sus necesidades, en ambos casos por el bien de la empresa. Y como es por el bien de la empresa, la legislación no debe poner trabas a la sustitución de empleados. El abaratamiento del despido ha favorecido a Mercadona, pero su estrategia de renovación parcial de la plantilla venía de antes. Los últimos relevos, según los trabajadores, están siendo de gente veterana que se sustituye por jóvenes con mejor formación. El propósito de Juan Roig es tener una plantilla a su gusto en 2015, año en el que «nadie se irá de Mercadona o muy poca gente», según prometió, de lo que se desprende que está poniendo especial cuidado en la selección del personal que contrata.

A pesar de lo llamativo de las cifras de Mercadona, 2.800 salidas de trabajadores en 2012, lo que significa una rotación del 3,8 por ciento, la renovación de plantilla en el sector de la distribución siempre ha sido alta. Por ejemplo, la cooperativa Consum tuvo ese mismo año una rotación del 4,16 por ciento entre sus socios trabajadores. La diferencia es que en otras cadenas hay más salidas voluntarias, al ser un trabajo de baja remuneración que los jóvenes aceptan como inicio de su carrera profesional. En Consum, la ratio de despidos sobre el total de la plantilla fue del 2,76 por ciento. El resto fueron jubilaciones, bajas voluntarias o se debieron a otras causas. Aunque Mercadona no detalle los motivos de las salidas de su personal, el hecho de que pague sueldos más altos que sus competidores y las declaraciones de su presidente dan a entender que las salidas voluntarias no abundan.

«En estos momentos, nos toca a todos, empresarios, trabajadores, administraciones, sindicatos, organizaciones, etcétera, hablar mucho más de nuestras obligaciones que de nuestros derechos», dijo Juan Roig en 2009. La frase la ha repetido muchas veces, pero no ha convencido, lógicamente, al sindicato anarquista Confederación Nacional del Trabajo (CNT), que desde hace algunos años lleva a cabo una campaña contra los despidos en las redes sociales y frente a algunos supermercados. Son las únicas quejas sindicales, salvo alguna aislada de Comisiones Obreras, lanzadas contra una compañía donde la paz social es la tónica desde que el Comité de Dirección diseñó y Carlos Calero puso en marcha la política de beneficios sociales para el trabajador, de acuerdo con un comité de empresa dominado por el sindicato mayoritario en Mercadona, que es UGT. Juan Roig se fijó en El Corte Inglés cuando se planteó su relación con los sindicatos. La empresa de Isidoro Álvarez tiene, desde los años setenta, dos sindicatos de los denominados verticales o amarillos,

Fasga y Fetico, para evitarse conflictos laborales con los llamados sindicatos de clase, sobre todo UGT y Comisiones Obreras, que allí son minoritarios. Carlos Calero lo hizo más fácil y pactó directamente con un sindicato de clase, UGT, una relación estable a largo plazo favorecida por las buenas condiciones del convenio de Mercadona en comparación con las del resto del sector de la distribución. La Unión General de Trabajadores se puso la medalla y se ganó el favor de la compañía. Desde 1993 no ha habido, de puertas afuera, ninguna queja del comité de empresa, ni siquiera en la negociación de los convenios, que suelen generar tensiones en otras compañías. «Está mal visto que el trabajador pertenezca a cualquier sindicato», asegura W. El último convenio colectivo lo firmaron UGT y CCOO a finales de 2013 para un período de cinco años (2014-2018) e incluía por primera vez la desvinculación del aumento de los salarios de la inflación, reivindicación histórica de los empresarios, así como ventajas sociales añadidas, como la ampliación de la reducción de jornada por cuidado de hijos menores hasta diez años y la ampliación de la excedencia por cuidado de hijos hasta que el menor cumpla ocho años.

El modelo de Mercadona tiene uno de sus pilares en la búsqueda de la satisfacción total de los trabajadores, imprescindible para que estos procuren la del «jefe». Los que han hablado en este capítulo son solo cuatro empleados escogidos al azar, sin pretensiones demoscópicas. Trabajadora Z: «Estoy muy contenta, contentísima». Ex trabajadora W: «El modelo de Gestión de Calidad Total, aplicado como se tiene que aplicar, es muy bueno para todos, pero en los últimos años parece que el orden ha cambiado y el capital está por delante». Trabajador Y: «Mercadona es una gran empresa para trabajar; tiene sus cosas, pero mira cómo está todo ahí fuera». Trabajadora X: «En general, estoy contenta. Me habría gustado estar en otro tipo de trabajo, pero veo que aquí hay muy buena promoción interna y que puedo mejorar».

Hay otras 74.000 personas para dar testimonio y nuevos volantazos de los que opinar, porque no hay foto fija posible en esta empresa donde lo único estable es el cambio. Lo mismo le ocurre al
siguiente componente del modelo, que según la teoría de la Gestión
de Calidad Total debe ser satisfecho simultáneamente y con la misma intensidad: el proveedor.

3

El proveedor

«Es imposible hacer una tortilla sin romper huevos.» Así zanjó Juan Roig en 2009 el conflicto que había creado unos meses antes con su decisión de eliminar de los lineales de Mercadona un millar de referencias, la mayoría de ellas de fabricantes que lo escuchaban en el congreso anual de Aecoc, la asociación que integra a fabricantes y distribuidores. Después de pergeñar un supermercado estándar al gusto del «jefe» y de perfilar una estructura laboral tan generosa como exigente, había llegado la hora de meter mano al tercer elemento de su modelo de Gestión de Calidad Total, el proveedor, que gozaba de una relativa estabilidad desde finales del siglo XX con la cohabitación de los interproveedores y los fabricantes de marca propia en los estantes de las tiendas. Grandes y pequeñas marcas se mezclaban con Hacendado hasta sumar más de 9.500 referencias.

Pero entonces llegó la crisis. El 15 de septiembre de 2008 quebró Lehman Brothers y la desconfianza sacudió el comercio mundial. La caída del gigante financiero causó una veloz contracción del comercio, primero en las economías desarrolladas y más tarde en las de países en vías de desarrollo. A finales de 2008, el comercio mundial se contraía a un ritmo del 40 por ciento interanual, la bolsa se desplomaba y los españoles empezaron a reducir el gasto. En realidad, estos últimos habían comenzado a revisar la lista de la compra un año antes, y en Mercadona ya lo estaban notando. En noviembre, el Instituto Nacional de Estadística anunciaba que el PIB español había sufrido en el tercer trimestre del año su primera caída desde 1993, con una demanda interna que solo crecía un 0,1 por ciento después de muchos ejercicios por encima del 5 por ciento. La entrada en recesión se confirmaría tres meses después, en febrero de 2009. Los empresarios empezaron a tomar medidas, muchas veces tardías y en no pocas ocasiones insuficientes. No fue el caso de Juan Roig, quien al día siguiente de la quiebra de Lehman Brothers ya había decidido hacer otra tortilla, rompiendo y batiendo con fuerza unos huevos que eran sus casi 2.000 proveedores. No era la primera vez.

Mercadona fue hasta 1993 una empresa de distribución convencional. Recibía a los fabricantes, estudiaba sus productos, negociaba los precios y colocaba la mercancía a la venta con un margen. Lo de toda la vida. En los años ochenta, el mundo de la distribución en España era al revés de como es ahora. Las grandes marcas imponían sus condiciones a un sector atomizado formado por pequeñas cadenas de supermercados de ámbito provincial o regional, que tendían a concentrarse con mucha lentitud, no tanto para doblegar a los fabricantes como para competir con los hipermercados franceses. Las multinacionales galas habían entrado con fuerza con prácticas que trastocaban la relación con los fabricantes, como los pagos a 90 o 120 días, la venta a pérdidas, el canon de acceso a sus lineales o el pago de una contribución para sufragar el coste de la reposición de sus artículos en los estantes. Mercadona trataba de hacer valer la cercanía de los supers frente a los hipers, pero para competir en precio necesitaba un tamaño que le permitiese negociar mejores condiciones con los fabricantes, de ahí que se lanzase a comprar pequeñas cadenas de supermercados.

En diez años, entre 1988 y 1997, Mercadona adquirió ocho cadenas de supermercados que ayudaron a la compañía a crecer más rápidamente en la Comunidad Valenciana y a implantarse en Madrid, Cataluña y Andalucía. La más importante fue la andaluza Multimás (Almacenes Gómez Serrano), que con sus 102 tiendas aumentó casi un 50 por ciento la red del hoy líder del sector, a la que siguió una treintena de supermercados en Cataluña con las adquisiciones de Paquer y Vilaró. Es entonces cuando Juan Roig logra que su empresa empiece a ser considerada una gran cadena nacional. Y es entonces, también, cuando hace saber a sus proveedores que su estrategia de Gestión de Calidad Total les incumbe. Es más, los invita a subirse a un tren que empezaba a coger velocidad y a olvidarse del resto de los distribuidores porque no los van a necesitar. Estaba naciendo el interproveedor.

El término «interproveedor» es uno de los conceptos inventados por Juan Roig más populares, utilizado con frecuencia por los medios de comunicación, que acabará formando parte del diccionario de la RAE. La propuesta que el empresario hizo a sus proveedores, empezando por los de marca blanca, era revolucionaria en el mundo de la distribución, aunque no en otros sectores como en el del automóvil, por ejemplo, donde una década antes se había impuesto el modelo *just in time* (justo a tiempo). En el sector de la automoción, la relación entre proveedores de piezas y fabricantes es muy estrecha porque los primeros forman parte de la cadena de producción. Una muestra es la factoría de Ford en Almussafes (Valencia), que tiene al lado un gran polígono industrial en el que solo se instalan proveedores. Las empresas que fabrican los asientos, los salpicaderos o la carrocería funcionan al ritmo que Ford dicta para proveer al minuto las piezas que esta necesita, a veces mediante pasillos aéreos que llevan esos suministros directamente a la planta de producción de coches. La factoría es la que impone sus diseños, calidades y precios a los proveedores. La propuesta de Juan Roig iba más allá.

«Quiero ver tus cuentas»

La oferta de Mercadona a sus proveedores se basaba en la coope-
ración a largo plazo para lograr juntos el objetivo de satisfacer al
«jefe». Dicho así, parece una declaración de intenciones que nadie
rechazaría sin que se lo tildara de loco, pero el enunciado encierra
una serie de cesiones a favor de Mercadona a las que no todos los
empresarios estuvieron ni están dispuestos. Igual que a los trabajadores, Juan Roig iba a dar a los interproveedores una estabilidad en
forma de facturación creciente y beneficios seguros, pero a cambio
les exigiría ajustes en los precios, calidad, innovación, instalación de
fábricas cerca de sus plataformas logísticas y, rompiendo todo con-
vencionalismo en la relación vendedor-cliente, los sometería a un
control de su gestión que en, algunos casos, acabó en la compra directa o indirecta del proveedor.

Convertirse en interproveedor supone, en primer lugar, some-
terse a una auditoría de Mercadona, no tanto para valorar la conveniencia del contrato, que ya se ha evaluado anteriormente, sino para
ayudar a la empresa a mejorar la calidad de sus productos y, sobre
todo, reducir los costes. Quien entra en la órbita del líder de la distribución tiene una presión constante para que baje precios. Los fabricantes deben informar a Mercadona del estado de sus cuentas y
de sus márgenes, que Juan Roig les reduce al mínimo con la advertencia de que, si quieren ampliarlos y ganar más dinero, han de re-
cortar los costes. Eso sí, los ayuda a hacerlo desde el primer día con
medidas como la utilización de las cajas verdes estándar para productos frescos, que fabrica, alquila, recoge y lava su interproveedor
Logifruit, o como el transporte en camiones de otro interproveedor, Acotral. Los fuerza a eliminar aire en los palets o a prescindir
de envoltorios inútiles, así como a poner etiquetas en dos colores y
más pequeñas. Una anécdota al respecto: cuando Mercadona encargó a su interproveedor farmacéutico, Korott, que le fabricase

también los artículos de higiene bucodental, la empresa alicantina invirtió 15 millones de euros en una moderna línea de producción. Al ver el dentífrico, Roig dijo que le quitasen la caja para abaratarlo, lo que suponía a Korott desechar la nueva máquina de embalaje. Con todo, al final convencieron al presidente de que la pasta dental se vendiera con la caja.

Cada ahorro, por infinitesimal que sea, se multiplica por los millones de artículos vendidos. Es la estrategia de «lucha por el céntimo», una de las más difundidas de Juan Roig desde que en 2010 explicó que pensaba sacar a la venta botellas de vino cuadradas («La única razón por la que las botellas de vino son redondas es que siempre han sido redondas», dijo), por el ahorro que conseguiría en el transporte, dos céntimos de euro por botella «que se van a la alcantarilla». En honor a J. García Carrión, hay que decir que Don Simón fue el primero en reducir el coste del vino por la parte del envase, gracias al tetrabrik. Aunque las botellas cuadradas nunca salieran a la venta, el ejemplo era válido para lo que Juan Roig quería transmitir, y es que sus proveedores trabajaban sin descanso con tal de reducir los costes de producción, para ahorrar aunque solo fuera un céntimo por unidad producida. «Si lo hiciéramos en todos los artículos que Mercadona vende, un céntimo serían 100 millones de euros.» El beneficio de cada reducción de costes es compartido entre el fabricante, Mercadona y el «jefe», ya que propicia que el precio de venta al público disminuya o no aumente, y si se mantienen los precios bajos, se acaba vendiendo más y todos salen ganando, según el primer enunciado de la estrategia SPB.

El interproveedor adopta el modelo de Gestión de Calidad Total para satisfacer a sus «jefes», que en su caso son Mercadona y la clientela de Mercadona. Las empresas lo ponen en práctica con la ayuda y el aliento de la organización liderada por Juan Roig, quien pregona allí donde lo invitan las bondades de su modelo y su convencimiento de que si todos lo implantasen, a España le iría mucho mejor. El empeño de Roig tiene algo de filantrópico, pues si por un lado la estrategia responde a la necesidad de Mercadona de controlar todo el proceso, por otro lado se debe a la fe de su mentor en el que considera que es el mejor sistema de trabajo posible, aplicable a cualquier organización. Cada febrero, desde 2000, la familia Roig celebra una reunión con propietarios y directivos de sus empresas interproveedoras, la mayoría de ellas también de capital familiar, para comunicarles los resultados del año anterior y para poner en común tanto la estrategia de cara al ejercicio en curso como los problemas surgidos en el recién terminado. La convención, que en los últimos años se ha celebrado en el Palacio de Congresos de Valencia, tiene un formato similar a los congresos anuales de Aecoc, con todos los participantes identificados con su nombre en la solapa. El control sobre los interproveedores, que son más de un centenar, no se limita a conocer sus cuentas, tutelar la gestión y fijar los precios y los márgenes. Además de todo ello, Mercadona les prohíbe fabricar para otras marcas blancas; les impone separar la producción de marca Hacendado de la propia, en el caso de que la tengan; los insta a invertir en investigación y a proponer nuevos productos que satisfagan al «jefe», y los obliga a abrir fábricas cerca de sus centros logísticos para seguir su ritmo de aperturas. Cada cierto tiempo, los somete a una auditoría a fin de comprobar cuán asumido tienen el modelo de Calidad Total. Con más de un centenar de firmas adscritas a esta disciplina, seguir llamando «empresa distribuidora» a Mercadona es quedarse corto.

El fabricante total

En 2013 corrió por las redes sociales una infografía elaborada en una universidad de Canadá que mostraba que solo diez multinacionales fabrican gran parte de los productos que consumimos y usamos a diario a través de más de 1.600 marcas. Son Coca-Cola, Pepsico, Kellogg's, Nestlé, Johnson & Johnson, Procter & Gamble, Mars, Kraft, Unilever y General Mills. El documento podría haber incluido alguna más, como Danone, pero para captar la atención en internet era más efectivo dejar el número en diez. Casi todas esas multinacionales están muy presentes en España con sus marcas líderes, pero se enfrentan a un competidor atípico que crece a una velocidad de vértigo y que no tardará en ser el primer fabricante del país: Mercadona.

Es verdad que no se trata de un fabricante *stricto sensu*, pero sí en el sentido más amplio de la palabra: empresa que diseña un producto, lo fabrica y lo vende, sin que sea necesario que haga directamente todos los procesos. En el sector del textil y el calzado, muchas grandes marcas solo realizan con medios propios la venta y el diseño, y esto último no siempre. Las grandes marcas de alimentación, incluso algunas de aquellas que proclaman «no fabricamos para marcas blancas», producen a veces en plantas ajenas especializadas en marca blanca o en fabricar para terceros. Y algunas sí elaboran marcas blancas, aunque lo nieguen. Es lógico, porque llegar a todos los mercados o crecer a un ritmo alto no siempre es factible solo desde las factorías propias. Estas grandes marcas que subcontratan la producción ejercen un control sobre las empresas que fabrican para ellas, pero es poco probable que sea un control tan exhaustivo como el que la compañía de Juan Roig mantiene sobre sus interproveedores. Mercadona es uno de los mayores fabricantes agroalimentarios de España en plantas de producción asociadas, gracias a los más de cien interproveedores que se someten voluntariamente al control del gigante de la distribución española. En 2012, estas empresas invirtieron 470 millones de euros y crearon 2.500 puestos de trabajo. Es el *totaler* que conoce las cuentas de sus empresas tuteladas, revisa sus procesos, estudia y prueba sus productos, pauta la producción y planifica su expansión de acuerdo con la previsión de crecimiento de la red de supermercados. Algunas son casi una sucursal y otras, las grandes que fabrican con su propia marca, son más independientes.

Con el tiempo, Juan Roig ha visto que el socio ideal es el que trabaja para él en exclusiva. Su oferta inicial se dirigió a empresas familiares como la suya, algunas de las cuales se sumaron incondicionalmente y renunciaron a tener otros clientes. Poco después de arrancar el proyecto, empezó a exigir a los interproveedores que dedicasen solo a Mercadona plantas de producción, sin renunciar a fabricar en otras con sus marcas. Después, les insistió para conseguir la exclusividad total. Esa exigencia ha provocado numerosos roces y algunas rupturas. No debió de llegar por igual a todos los fabricantes, ya que algunos mantienen sus marcas mientras que otros tuvieron que escoger entre depender al cien por cien de Mercadona o perderla como cliente. Así sucedió con Dulcesol, fabricante valenciano de bollería industrial que tenía una marca propia bastante reconocida en la zona mediterránea española. Los propietarios, la familia Juan, hubieron de elegir entre trabajar en exclusiva para Mercadona o dejar de ser interproveedora, y optaron por seguir por libre. Otro tanto le ocurrió a la también valenciana Berioska, que había ayudado a lanzar la sección de perfumería de Mercadona con sus productos cosméticos. Además de la marca Deliplus, mantenía la suya, Babaria, con la que tenía planes de expansión internacionales. Pero en 2007 Juan Roig dijo a Ricardo Soucase que con Mercadona tenía un futuro brillante, si bien debía elegir, y el empresario prefirió la independencia. Dulcesol y Berioska abandonaron Mercadona y les va bien, aunque no hayan crecido tanto como sus sustitutos, Grupo Siro y RNB Cosméticos, a los que les va muy bien. El ultimátum confirmaba que la relación de Mercadona con sus interproveedores no era de igual a igual, por lo que a estos les convenía tener una alternativa, a modo de colchón, que les permitiera saltar del avión con algo más que un paracaídas. Porque, eso sí, para los que se marchan hay paracaídas.

Ruptura «amistosa»

Mercadona quiere ser una empresa clara con la política de interproveedores. Las condiciones son las que son, en principio para toda la vida, pero cualquiera de las partes puede renunciar si se cansa, encuentra una mejor oportunidad o desea un cambio al que la otra parte no está dispuesta. Uno de los primeros en romper con la cadena de Juan Roig fue J. García Carrión, Don Simón, ya en 2005. Para aquellos que deciden irse, el contrato contempla lo que define como «período de desenganche», una cláusula habitual en las fábricas con un cliente único que implica el compromiso de reducir paulatinamente la relación contractual para que el fabricante tenga tiempo de buscar otros clientes y el comprador de buscar otro proveedor. En el caso de Mercadona son tres años. Tanto Dulcesol como Berioska salieron adelante, a pesar de registrar ambas una caída de ventas durante los primeros años de desenganche. También ha sido así para Don Simón, cuya dependencia de Mercadona era mucho menor, y para casi todas las empresas que se han desenganchado. Una excepción fue Químicas Alfonso, interproveedor de lejía y otros productos de limpieza y fabricante de marcas muy conocidas en Valencia, como Lejía Alfonso y Viker. Cuando el propietario de la empresa, Salvador Alfonso Ricós, enfermó y falleció de forma prematura en 2002, Juan Roig, que era primo hermano suyo, acordó con sus dos hijos continuar la relación comercial, pero la sucesión no fue lo pacífica que se esperaba y Juan Roig acabó retirando su confianza en los nuevos gestores. Seis años después, la fábrica química cerró.

Los tres años de desenganche le sirven a Mercadona para buscar otros interproveedores y darles tiempo a que se preparen para las enormes producciones que van a afrontar. El número de interproveedores oscila entre 100 y 110, pero es probable que aumente en los próximos años, después de que Juan Roig haya adoptado una nueva estrategia, consistente en contratarlos no para grandes categorías de productos sino para cada producto.

Según su relación con Mercadona, los interproveedores pueden dividirse en tres grupos. En primer lugar, están aquellas empresas que tenían su propia marca y han sido captadas para ser proveedores en exclusiva de aquello en lo que estaban especializadas. Pueden seguir produciendo y promocionando sus marcas, sobre todo para exportar, pero tienen prohibido fabricar para otros distribuidores. Generalmente, construyen plantas de producción independientes para servir al que acaba convirtiéndose en su principal cliente. Tres ejemplos son el grupo oleícola Sovena, el fabricante de galletas y pastas Siro y Casa Tarradellas, que produce pizzas y embutidos.

Un segundo grupo lo forman empresas que, como las anteriores, entraron en la órbita de Mercadona primero como proveedoras y luego como interproveedoras, pero que debido al trabajo que les daba la empresa de Juan Roig y la garantía de ventas frente al esfuerzo de la marca propia decidieron volcarse con Hacendado y dejar de producir su marca o hacerlo de forma residual. Es el caso de Antiu Xixona, uno de los primeros firmantes de un acuerdo a largo plazo con Mercadona, en 1998, al que la marca blanca ha convertido en el primer productor de turrón. En 2011, inauguró una fábrica de chocolate en Xixona (Alicante) para sustituir a la francesa

Cantalou como interproveedor de tabletas. La marca Antiu Xixona se mantiene, pero su producción es pequeña y su peso en el total de las ventas residual. Otros ejemplos son Embutidos Martínez, que en 1999 recibió la oferta de Juan Roig y dejó de fabricar para otros clientes, y Cunicarn, una empresa familiar tarraconense que después de firmar con Mercadona en 2001 decidió centrarse en ese único cliente, que lo ha llevado a ser líder nacional en la producción de carne de conejo.

El tercer grupo es el constituido por las empresas que nacieron para ser interproveedoras. Si al principio Juan Roig negociaba con fabricantes para que se integraran en el mundo de Mercadona sin perder sus orígenes, con el tiempo ha descubierto que lo que menos problemas le acarrea es proponer a alguien que funde una compañía en la que tenga exclusividad y que abra las plantas que Mercadona le pida para fabricar los productos que esta le diga, en los plazos y al precio que le fije. La única diferencia de una empresa de este tercer grupo con una filial convencional es que Mercadona no participa en el accionariado, pero incluso esto tiene excepciones. Ejemplos de este tipo de compañías son la productora de hortalizas de cuarta gama Verdifresh, la de zumos Dafsa y la de refrescos Jeibes, así como también uno de los interproveedores de Juan Roig más grandes, Martínez Loriente.

El carnicero de Mercadona

«Juan Roig me dijo un día que quería salir del sistema tradicional de corte, y me encargó este proyecto; tardamos dos años en diseñarlo y 22 meses en construirlo.» Así contaba Juan Francisco Martínez cómo el presidente de Mercadona embarcó a las empresas Embutidos Martínez e Incarlopsa, que eran sus mayores proveedores de embutido y fiambre, respectivamente, en el proyecto de crear un interproveedor de carne de vacuno, porcino y ovino orientado a la venta en bandejas. Nació de este modo Martínez Loriente, empresa en la que cada proveedor participa con un 45 por ciento y Mercadona con un 10 por ciento. La participación de Mercadona es atípica, ya que, con excepciones, la empresa de Juan Roig no forma parte del accionariado de sus satélites. No le hace falta. Martínez Loriente empezó a funcionar en 2002 y diez años después ya era una de las mayores empresas de la Comunidad Valenciana en cifra de negocio —497 millones de euros— y la primera del sector alimentario. Al ser la carne un producto fresco muy perecedero, Mercadona aplica a esta empresa un verdadero sistema *just in time*, como el de los automóviles. Cada día, a las cuatro de la tarde, la fábrica ubicada en Cheste (Valencia) recibe el pedido para el día siguiente. Que el cliente único le haga el pedido por la tarde teniendo que servir más de 400 toneladas diarias de carne, casi toda ella en bandejas, puede parecer estresante, pero Martínez Loriente cuenta con un histórico de ventas con el que calcula por la mañana la cantidad de producto que le va a pedir Mercadona y en qué formato. Por la tarde, una vez recibido el pedido, lo que hace es ajustar la producción.

Como revelaba uno de sus fundadores, la empresa nació impulsada por Juan Roig para cambiar el sistema de venta de carne en los supermercados, del mostrador a las bandejas, una revolución que no dio el resultado previsto, según ha reconocido el propio Roig. Como veíamos en el capítulo dedicado al «jefe», Mercadona ha recuperado los mostradores de carne, sin que ello afecte, en principio, al volumen de este producto suministrado por su interproveedor, ya que lo que deje de vender en bandejas lo compensará con las piezas grandes para el corte. Y aunque le afectase, tampoco se iba a quejar, porque Martínez Loriente es Mercadona, aunque Juan Roig tenga allí dos socios externos que también son interproveedores. La presencia de Mercadona en el capital de

Martínez Loriente fue la primera incursión de la compañía en el accionariado de sus proveedores. No la de Juan Roig, que mucho antes de empezar con su modelo de Calidad Total se quedó, personalmente, con un proveedor de la cadena que él mismo había creado junto con el empresario Alberto Martí, Forns Valencians (Forvasa). Se puede decir que el propio Juan Roig fue el primer interproveedor de su empresa. Forvasa fue la primera compañía que le perteneció al cien por cien. Hoy continúa elaborando buena parte de los productos de horno de Mercadona y da sustanciosos beneficios a la familia Roig Herrero. En 2011, fueron 5,8 millones de euros.

Después de participar en la creación de su interproveedor de carne, se produjo la crisis de Caladero, empresa que quería ser la Martínez Loriente del pescado, también con un proyecto muy innovador para venderlo en bandejas en lugar de en mostrador. Mercadona aportó la financiación mediante una ampliación de capital que le otorgó el 16,5 por ciento del mismo, pero, al igual que sucediera en el caso de la fruta pelada y cortada, el proyecto de pescado en bandejas no obtuvo el resultado esperado en términos de calidad y de aceptación por los clientes. El fracaso y los problemas financieros desanimaron a su dueño, Carlos Amorós, por lo que Mercadona le compró su parte en 2010 y se hizo con la totalidad de la compañía aragonesa. Lo realizó sin vocación de permanencia, según dijo Juan Roig, a la espera de encontrar un socio que quisiera quedarse la entonces primera empresa de comercialización de pescado fresco en España, que estaba en pérdidas y necesitaba una fuerte reestructuración.

Caladero, a causa de sus pérdidas, fue una excepción en la estrategia de apoyo financiero a los interproveedores que en 2006 había articulado el presidente de Mercadona. Algunos de los nuevos se veían en dificultades financieras para seguir el ritmo de crecimiento de esta. Otros decidían vender su empresa, lo que para

Juan Roig implicaba asumir un socio nuevo que él no había elegido y que no había pasado por el proceso de selección de seis meses que superan los empresarios que aspiran a ser interproveedores. Para resolver estos inconvenientes, Roig buscó a alguien de confianza que financiase a esas empresas y le asegurase el control del proceso.

El yerno de Roig

Carolina Roig Herrero conoció al que iba a ser su esposo en Londres, donde Roberto Centeno, Roco para la familia y los amigos, había desarrollado una muy bien pagada carrera como especialista en banca de inversión. Hijo del ingeniero del mismo nombre conocido por sus polémicas en la cadena radiofónica COPE y en otros medios de comunicación conservadores, el joven Centeno trabajaba en la City desde que en 1992 fue contratado por Goldman Sachs International. En esta empresa pasó durante once años por diversos departamentos, entre los que destacan el de banca de inversión, donde se especializó en fusiones y adquisiciones; también fue director del Grupo de Distribución y Bienes de Consumo, ya en su última etapa, entre 2001 y 2003. Es posible que en esta etapa conociera a una de las hijas mayores de Juan Roig por su contacto con Mercadona.

Roberto Centeno dejó Goldman Sachs a principios de 2003 para entrar como director de Renta Fija para Iberia de Merrill Lynch, también en la City, un trabajo más aburrido que el anterior pero seguramente mejor pagado. El novio era el que cualquier padre habría deseado para su hija, pero a Juan Roig no le apetecía que Carolina se instalase definitivamente en Londres, ya que su futuro profesional estaba en Mercadona. El problema era que su yerno difícilmente iba a encontrar en la miniplaza financiera de Valencia un trabajo del nivel retributivo de la City, por más que el sueldo no era algo que fuera a quitar el sueño al feliz matrimonio. Padre, hija y yerno encontraron entonces una solución con la que Juan Roig mataba dos pájaros de un tiro. Roco dejaría Merrill Lynch y se instalaría con su esposa en Valencia, donde crearía una firma de capital riesgo para invertir en interproveedores de Mercadona. Así nació, a finales de 2005, Atitlan, grupo de empresas bautizado con el nombre de un volcán guatemalteco. Roberto Centeno se trajo de Londres al también español Aritza Rodero, un joven financiero que había sido su colaborador más estrecho en los últimos años de Goldman Sachs y que dio el salto con él a Merrill Lynch. Los dos crearon la sociedad Atitlan Alpha, fondo de capital riesgo especializado en «alimentación, bienes de consumo y distribución» que disponía de 30 millones de euros para invertir en empresas. El dinero lo puso, entre otros, el propio Juan Roig mediante un contrato de cuentas en participación. El fondo lo gestionaba Atitlan.

La primera operación de Atitlan, en 2006, fue la inversión de 6 millones de euros en Desarrollos Alimentarios Frescos (Dafsa), empresa que había sido impulsada por Juan Roig para sustituir a Don Simón como interproveedor de zumos. Atitlan tomó el 50,1 por ciento de Dafsa para, junto con el emprendedor José Luis Campillos, convertirse en poco tiempo en uno de los mayores productores españoles de zumos y gazpachos, que en 2012 facturó 153 millones de euros con cuatro fábricas y una quinta prevista para 2014. El experimento de coinversión fue tan positivo para todas las partes que no tardó en repetirse con otros interproveedores, siempre con Atitlan como socio mayoritario pero con vocación de salida del accionariado a medio plazo.

Una de las operaciones más brillantes de Roco Centeno fue la compra del 50 por ciento de Verdifresh a finales de 2008 y su venta, dos años y medio después, a su socio, Joaquín Ballester Martinavarro. Las familias Martinavarro y Ballester, propietarias de la mayor compañía citrícola española, E. Martinavarro, que surte de naranjas a Mercadona, habían aceptado la propuesta de Juan Roig de producir en exclusiva ensaladas lavadas y cortadas en bolsas de plástico, lo que se conoce como «cuarta gama». En 2008, Joaquín Ballester ofreció a sus primos y a sus hermanos comprarles sus acciones para poner en marcha un plan de expansión que no acababa de convencer a todos. Para financiar la compra y la posterior expansión entró Atitlan, que en 2011 le vendió su parte por cuatro veces lo que había invertido. Habría ganado mucho más si hubiese esperado un poco, ya que la progresión de Verdifresh en los años siguientes ha sido espectacular. Ya no es una sola compañía, sino un grupo, Citrus, que fabrica a Mercadona alimentos infantiles —producto muy sensible en el que la marca blanca apenas había entrado— y la denominada «fruta de bolsillo» (triturada, para meriendas infantiles), además de las ensaladas. El éxito de estas últimas, que solo por estar preparadas se venden a precio de entrecot, fue uno de los fenómenos que animaron a Juan Roig a probar con la fruta cortada y envasada. Las ensaladas triunfaron porque incluso en los hogares habituados a cocinar resulta muy cómodo no tener que lavar y cortar las hojas de lechuga, con el añadido de que en la bolsa ya están mezcladas. Como reconocimiento a ese éxito, las ensaladas preparadas de Mercadona llevan la marca Verdifresh, no Hacendado.

Otros ejemplos en los que Atitlan intervino fueron: Ibersnacks, interproveedor de *snacks* que el grupo Grefusa puso a la venta, siendo Juan Roig y su yerno los que se ocuparon de la elección del nuevo socio; el fabricante de comida para mascotas Bynsa, y la productora de tortillas de patatas y otros platos preparados Naturvega. Y de manera indirecta, el interproveedor de leche Lactiber Leon, creado *ex novo* a partes iguales por los grupos lácteos Iparlat y Covap y la empresa de zumos Dafsa, entonces controlada por Atitlan.

Con la ayuda financiera del fondo familiar gestionado por Roco Centeno, que implicaba tomar la mayoría accionarial, Juan Roig cerraba el círculo para el control total del que considera interproveedor ideal, el que nace por iniciativa suya a imagen y semejanza de Mercadona. Ya podía decirse que en el universo Mercadona no se movía una hoja sin que lo supervisara el equipo de Juan Roig, sobre todo si esa hoja significaba un cambio en el accionariado de estas empresas. De ese control creciente, uno de los aspectos que más tensiona a los interproveedores antiguos es la falta de independencia. Algunos no soportan ser meros ejecutores de órdenes que llegan desde la cadena de supermercados. De ahí que, cuando no están contentos, Juan Roig les facilite la salida y busque un comprador que sepa a lo que va. El empresario valenciano ha contagiado a la industria agroalimentaria española ese espíritu inconformista que ha puesto a Mercadona y a todos los que se relacionan con ella en un estado de hiperactividad. Un baile sin descanso en el que también participan proveedores sin contrato estable, como Bimbo, protagonista de una rocambolesca relación con el líder de la distribución.

El «pan bimbo»

En su defensa de la marca de distribuidor, Juan Roig ponía el ejemplo de la leche de distintas marcas que, sin que el cliente lo sepa, sale de las mismas vacas y suele compartir las cisternas de algunos grandes productores, pero hay un ejemplo más evidente que el de la leche, y es el del pan de molde, también conocido como «pan bimbo» por la notoriedad de esta marca. La compañía Bimbo, de origen mexicano, funcionaba en España y Portugal al margen de la multinacional por un problema de registro de marcas. El propietario de Bimbo en España era el grupo Sara Lee, al que Mercadona empezaba a comerle el terreno con su pan Hacendado. Tanto crecía la marca propia en la primera década del siglo que Juan Roig tuvo que decir a su amigo José Manuel González Serna, presidente de Grupo Siro, que abriera nuevas fábricas a toda prisa o no iba a dar abasto. Serna le respondió que no había tiempo. La solución, que, nunca mejor dicho, rompía moldes, la encontró el propio Juan Roig en 2009, al propiciar un acuerdo entre González Serna y Sara Lee por el cual Grupo Siro adquiría tres fábricas de pan cortado a rebanadas de Bimbo, situadas en Briviesca (Burgos), Antequera (Málaga) y Agüimes (Gran Canaria). Lo sorprendente del acuerdo entre Mercadona, su proveedor Bimbo y su interproveedor Siro era que las tres fábricas seguirían produciendo para Bimbo al tiempo que empezarían a moldear pan con la marca Hacendado. Es decir, que en algunas zonas de España, las dos marcas de pan de molde que vende Mercadona, Bimbo y Hacendado, las fabricaba el Grupo Siro en el mismo sitio. El comprador no podía saberlo, ya que Mercadona identificaba en las bolsas al fabricante del producto, pero Bimbo no.

Este hecho aún es más claro en Canarias, donde la historia dio otro giro. En 2011, la multinacional mexicana compró el negocio de Bimbo en España y Portugal a Sara Lee, con lo que conseguía unificar la marca en todo el mundo. Un año después, ejerció una opción de recompra que Sara Lee había dejado abierta en 2009 y adquirió a Grupo Siro la fábrica de Agüimes. El acuerdo contemplaba que Bimbo continuaría fabricando pan para Mercadona. Esta planta es la más grande de pan envasado en la Comunidad Canaria, con más del 50 por ciento de la capacidad total, y en 2011 fabricó entre el 50 y el 60 por ciento de todo el pan de molde de las islas, más del doble que la siguiente, propiedad de Panrico, según el informe que realizó la Comisión de Defensa de la Competencia sobre la adquisición. En cuanto a la cuota de mercado, casi el 50 por ciento correspondía a Hacendado y otras marcas de distribuidores, seguidas de Bimbo y Panrico. El cliente de Mercadona pagaba un 30 por ciento más si elegía pan Bimbo en lugar de Hacendado, sin saber que la procedencia de los dos era la misma. Puede que se utilice harina de diferente calidad en cada caso, pero es improbable que semejante diferencia en el precio final se deba a los costes de producción.

El protagonismo de Juan Roig en el devenir de la industria agroalimentaria despertaba recelos entre los industriales, que habían visto que la balanza entre distribuidores y fabricantes se había ido desequilibrando a favor de los primeros. Qué tiempos aquellos en los que ellos fijaban precios y plazos de pago a un comercio atomizado y desorganizado. Con el nuevo siglo, los grandes distribuidores no solo mandaban, sino que uno de ellos se inmiscuía en la propiedad de las empresas, la organización de sus fábricas y sus estrategias de crecimiento. Lo que los fabricantes no sospechaban es que ese distribuidor pudiese dar otra vuelta a la tuerca.

El «volantazo»

En el año 2008, Calvo vendía una media de 27 latas de atún por supermercado al día en Mercadona. En otoño, poco después de la quiebra de Lehman Brothers, Juan Roig reunió a sus interproveedores y les anunció algo parecido al Apocalipsis. Todos debían tomar medidas para reducir los precios aún más y Mercadona iba a ser la primera, poniendo en revisión las más de 9.000 referencias que ofrecía en sus lineales para sacar aquellas que tuvieran poca rotación o estuvieran duplicadas, fuesen de proveedores o de interproveedores. Dado que prácticamente todas las referencias estaban duplicadas o triplicadas, nadie estaba libre de peligro, como bien saben en el grupo Calvo, que a pesar de la alta rotación de sus latas se vio fuera de los supermercados de su principal cliente.

El estupor de los directivos del grupo Calvo y de los «jefes» que, como se ha dicho, compraban una media de 27 latas por supermercado y día se vivió en otras empresas y otros clientes de los establecimientos ante la retirada de un total de 800 referencias en una primera escabechina y la puesta «en revisión permanente» de las demás. Juan Roig explicó meses después que dio el «volantazo» porque «había que esquivar a la vaca» que se había encontrado en medio del camino, y la forma de hacerlo era bajar los precios como fuera. Pronunció entonces una de sus frases más célebres, al comparar la incipiente crisis con la Tercera Guerra Mundial, pero sin balas. «Hemos pasado de la abundancia a la escasez y los que no se adapten no sobrevivirán», afirmó. Una vez más, reconoció errores, como no haber explicado con claridad la medida a los proveedores o la rapidez con la que se les había puesto entre la espada y la pared, sin tiempo para reaccionar. Pero no reconoció como error una medida que le generó más críticas que nunca tanto desde la industria alimentaria como por parte de aquellos clientes que se vieron privados de sus marcas favoritas en su, hasta entonces, cadena de supermercados preferida. Solo dos años después pudo comprobarse que, efectivamente, no había sido un error.

El *totaler* valenciano argumentaba que ningún distribuidor tenía espacio para poner a la venta el millón de referencias de alimentación y limpieza que se fabrican en España. Es más, antes del volantazo, Mercadona disponía de 72 referencias de leche, 112 de zumos y un centenar de cafés en diferentes formatos, que no eran todos los que había en el mercado, sino una selección. A partir de aquel momento, esa selección iba a ser mucho menor. Fue entonces cuando Juan Roig inventó el que denominó «carro menú», una selección de productos habituales de la cesta de la compra con la que garantizaba un ahorro del 35 por ciento. Los argumentos eran los mismos que cuando potenció las marcas propias diez años antes: el papel de Mercadona como prescriptor, el *totaler* que selecciona para el «jefe» la mejor calidad al mejor precio.

Los industriales protestaron, algunos de forma airada. Reconociendo el derecho de Mercadona a tomar las decisiones estratégicas que le convinieran, les dolió comprobar, una vez más, su debilidad frente a la gran distribución. Los proveedores medianos fueron los más perjudicados, ya que el resultado en muchas categorías de productos fue que Mercadona se quedaba con su interproveedor y con una o dos marcas, las más vendidas; en otras, solo con Hacendado. No obstante, las grandes firmas también sufrieron el ímpetu de Juan Roig. Calvo se encontró totalmente fuera de los supermercados y otras grandes marcas vieron reducido su número de referencias una media de entre el 30 y el 40 por ciento. Fue el caso de Procter & Gamble, Nestlé, Gallo, Kellogg's o Danone, y de muchas marcas de leche. La relación con los proveedores se tensó al máximo.

Tampoco los interproveedores duermen tranquilos desde aquel momento. La presión para que bajen los precios es máxima y el control sobre la calidad de los productos se ha acrecentado con la creación del departamento de prescripción, que rechaza todos aquellos artículos que no alcancen en los laboratorios un notable por parte de los «jefes». Esto obliga a las empresas a realizar un esfuerzo inversor, no siempre recompensado, en reducción de costes para «quitar la grasa», en palabras de Juan Roig, y en innovación. Algunos fabricantes, como ya hemos visto, prefirieron desengancharse. El presidente de Mercadona explicó al hacer balance del año 2008 que la novedad iba más allá de una revisión de referencias, que se trataba de un «cambio de mentalidad» de toda la compañía, que se había «amuermado» durante los tiempos de abundancia. «Aunque la medicina será amarga, no queda otro remedio que tomarla, pues es nuestra responsabilidad como empresa asegurar el proyecto de Mercadona en el tiempo», advertía Roig. Su audacia no dejó indiferente a nadie. Saltó a los titulares de los periódicos y dividió a la sociedad española con opiniones para todos los gustos. La industria agroalimentaria acusó el golpe y en la propia cadena de supermercados hubo turbulencias que se saldaron con la salida del más estrecho colaborador del presidente.

Manuel de Juan, fuera

Juan Roig no volvió a tener un «número dos» después de la muerte de Carlos Calero en 2005. Por cercanía al presidente, por antigüedad y por rango, el título se le otorgaba a Manuel de Juan, de quien puede decirse que fue durante casi tres décadas su hombre de confianza en todas sus empresas; con todo, no se lo consideraba el hombre destinado a suceder a Roig como todos veían a Calero, un ejecutivo con el genio y la resolución del presidente.

Manuel de Juan formaba parte de Mercadona desde 1981, cuando se marchó con Juan Roig de la empresa cárnica familiar, y fue secretario y miembro del consejo de administración de la compañía hasta el último día. Cuando las cuatro herederas, la última de ellas, en 2005, accedieron al consejo de administración, este se hizo totalmente familiar con dos excepciones, el accionista andaluz Rafael Gómez y Manuel de Juan, el único que ni era de la familia ni era accionista. Manuel de Juan llegó a ser también el más veterano miembro del comité de dirección. Durante casi dos décadas ocupó una de las áreas más importantes de la compañía, la dirección general de compras, responsable del entendimiento con los fabricantes. Fue él quien se encargó en buena medida de establecer las condiciones de la relación estable que Mercadona inició en 1998 con los interproveedores, su interlocutor y el de los proveedores normales.

Cuando el presidente decidió revisar su catálogo de referencias y retirar más del 10 por ciento del total, Manuel de Juan no estuvo de acuerdo y se lo dijo. Se resistió, pues lo consideraba en cierto modo una traición a los empresarios a los que Juan Roig había dicho años antes: «Trabajad para mí, sedme leales y yo lo seré con vosotros». Siguieron semanas de tira y afloja, hasta que el dueño de Mercadona tomó otra decisión de las que han marcado un antes y un después en la historia de la empresa. «Cuando te das cuenta de que las personas a las que dices que hay que hacer algo no lo hacen, o cambias de opinión o cambias a las personas que no han hecho lo que tú dices», explicaría después a un allegado. Juan Roig no cambió de opinión y su hombre de confianza tuvo que dejar la empresa después de 27 años de permanecer a su lado. La división de Compras quedó repartida en cuatro departamentos, lo que da idea del peso que Manuel de Juan tenía. No fue un simple cambio de personas, sino la asunción por parte de Juan Roig del mando absoluto de la empresa, que hasta entonces compartía con el comité de dirección mientras compaginaba la presidencia con otras responsabilidades fuera de Mercadona. Las dejó todas, incluida la presidencia del Valencia Basket Club, para hacer frente a una etapa que se presentaba difícil. De cara al resto de los miembros del comité de dirección, con el sacrificio de Manuel de Juan quedó claro que la pertenencia de cada uno al núcleo duro de Mercadona era provisional y que esa provisionalidad podía durar años o meses, según dispusiese el dueño de la empresa. Los movimientos en el órgano de gestión han sido más habituales desde entonces, lo que no significa que los directivos abandonen la compañía. La mayoría *demociona*, desciende a un puesto de inferior categoría de la misma manera que un día se ganó el ascenso.

Tras dejar pasar el período de no concurrencia firmado en el acuerdo de salida, Manuel de Juan creó con ex cargos intermedios de Mercadona la consultora M. de Juan Consulting, especializada en el sector de la distribución, que asesora a algunos competidores de su antigua empresa. En 2013 fundó una cadena de perfumerías de marca blanca llamada Etnia.

Si la disensión interna fue dolorosa para Juan Roig, la externa le hizo ver que se había excedido por lo menos en las formas, aunque no lo reconociera hasta años después. Muchos proveedores cargaron contra él en privado y algunos lo hicieron en público, como Enrique Velarte, quien a través de Mercadona había llevado a toda España sus *rosquilletas*, tentempié valenciano consistente en una barrita de pan duro con sabores diferentes. Velarte no solo fue expulsado de Mercadona, sino que fue sustituido por un interproveedor que utilizaba una imagen que creaba confusión. El empresario, dolido, creó una página web (<yanoestamosenmercadona.com>) para denunciarlo, avisar de que sus *rosquilletas* ya no se hallaban en Mercadona y comunicar dónde podían encontrarse. A los pocos días, el fabricante de Hacendado cambió la imagen de las bolsas de *rosquilletas*.

Otro choque sonado fue el que Juan Roig tuvo con la ministra de Agricultura de entonces, Elena Espinosa. Fue durante la clausura del congreso anual de Aecoc de octubre de 2009, celebrado en Valencia pocos meses después de la retirada de 800 referencias de los lineales de Mercadona. No resultó un congreso cómodo para Juan Roig, presidente de honor de la asociación, pues muchos asistentes eran damnificados de su volantazo. En una reunión privada con los máximos directivos de Aecoc, la ministra le reprochó su estrategia: «No estoy de acuerdo con lo que estáis haciendo y dispongo de datos del efecto que está teniendo en el empleo», le dijo. «¿Qué datos?», preguntó Roig. «No es el momento ni el lugar. Ya hablaremos», respondió la ministra, que creyó que la última palabra la tenía ella. Pero no fue así. En Valencia, en Aecoc y rodeado de empresarios, quien zanjó la cuestión fue el presidente de Mercadona: «Nuestros interproveedores invierten y crean empleo. Nosotros sí que estamos defendiendo la industria alimentaria, no como vosotros, que habéis dejado caer a una multinacional como Sos», le espetó, sacando a colación la crisis de la firma arrocera presidida por su amigo Jesús Salazar. Los datos de Elena Espinosa nunca salieron a la luz y tampoco trascendió en su día el enfrentamiento, hasta que lo publicó el diario *El Economista* en noviembre de 2009. Para entonces, Juan Roig ya tenía la primera información que le permitía evaluar el éxito de la medida.

Un resultado sorprendente

La estrategia de Juan Roig fue acertada, al menos para sus intereses y los de sus clientes. Esto es fácil decirlo pasado el tiempo y con los resultados a la vista. Nadie lo habría aventurado y, en efecto, nadie de dentro o de fuera de la empresa lo afirmó cuando la puso en marcha. Mercadona vio caer sus beneficios en 2009 no a la mitad, como el presidente había anunciado que ocurriría al explicar el volantazo, sino «solo» un 16 por ciento, hasta 270 millones de euros. Un año más tarde ya superaba el resultado de 2008 y tres ejercicios después el beneficio alcanzó los 508 millones. La estrategia resultó, pues, muy acertada, por varias razones.

En primer lugar, Mercadona limpió sus estantes de productos con los que ganaba poco o ningún dinero. Cuando las cosas van bien, cualquier organización va acumulando activos, personal y procesos redundantes que son un lastre en el que nadie repara porque hay capital de sobra para mantenerlo. Cuando llegan las vacas flacas, las empresas se dan cuenta de que hay recursos que podrían haberse ahorrado tiempo atrás y revisan sus procesos. Mercadona gana más dinero cuanta más rotación tiene un producto, y la velocidad de rotación suele guardar relación con el precio. La obsesión de Juan Roig con los precios se acentuó en aquella época en la que puso a trabajar a empleados, proveedores e interproveedores en pos de ese objetivo. La reducción del número de referencias era el primer paso, indispensable, aunque perjudicase a muchos fabricantes. Otros, los menos, salieron ganando.

Por otro lado, los agoreros predijeron que perdería muchos clientes habituados a los productos de marca. Fueran muchos o pocos, esa merma no dañó las cuentas de Mercadona ni su volumen de ventas. Es más, todo indica que o ganó clientes o los que se quedaron compraron más. El primer año de la bajada de precios, 2009, la empresa vendió un 8 por ciento más de productos —medido en *kilitros*— que el ejercicio anterior, aunque su facturación apenas aumentó al ser más baratos. Como Juan Roig había previsto, la crisis hizo que los consumidores tuviesen más en cuenta el precio. Mercadona se quedó con unas 8.000 referencias, frente a las 20.000 de El Corte Inglés. En medio se hallaban cadenas como Consum, Eroski o Masymas. Los «jefes» tenían la palabra y no se quedaron callados. Meses después de la primera revisión, las protestas de los clientes llevaron a Mercadona a reintroducir un centenar de referencias que había retirado.

En tercer lugar, la drástica medida tenía un efecto que, si bien no era el objetivo inicial, acabaría beneficiando a las marcas de Mercadona. La retirada de productos reducía el número de competidores de Hacendado, Deliplus, Verdifresh, Comportillo y el resto de las marcas propias o asociadas de la cadena, cuya notoriedad era ya evidente. Tras el esfuerzo por dignificarlas, las marcas blancas iban aumentando su cuota de mercado en España poco a poco. El volantazo de Juan Roig dio un empujón a esa tendencia, acentuada también por la crisis. Por seguir con el ejemplo del atún, algunos consumidores de la marca Calvo se fueron a buscarla a otras cadenas de supermercados o hipermercados cuando desapareció de Mercadona, pero otros se pasaron a Hacendado, que aumentó a la fuerza su cuota de mercado. Sin la retirada de Calvo, es probable que la conservera gallega hubiese perdido peso frente a su competidor más barato debido a las dificultades económicas de las familias, pero no con tanta rapidez.

Cuatro años después del volantazo, los resultados económicos parecían demostrar que Juan Roig había encontrado la estrategia adecuada para superar la crisis que comenzó en 2008. No obstante, había cosas que mejorar. Los «jefes» ponían pegas en los laboratorios a los productos frescos y se iban a comprar la fruta y las hortalizas a las fruterías que proliferaban junto a cada supermercado de la cadena. Así que el dueño de Mercadona decidió dar otro giro que sacudió el sector agroalimentario y, una vez más, a sus interproveedores.

Las conejas francesas

Fue en el congreso de Aecoc celebrado en Valencia en 2013, más tranquilo que el de 2009 y sin ministros, pues la asociación decidió excluir a los políticos de sus convenciones, donde Juan Roig explicó la revolución que pretendía obrar en el sector agroalimentario. Nada menos que trasladar el modelo de Gestión de Calidad Total a pie de campo, a las lonjas de pescado y a las granjas. Si había conseguido que los interproveedores fueran eficientes hasta más no poder, el nuevo objetivo era que los que están en el origen de la cadena agroalimentaria fueran igual de productivos. Explicado en términos cuniculturales por el propio presidente de Mercadona, «las conejas españolas producen 10 kilos por cada parto y las francesas, 16,86, y no es porque sean mejores, sino porque allí están obsesionados por la productividad».

El plan había empezado en 2010 con lo que Juan Roig bautizó como «estrategia Girasoles», que consistía en alcanzar acuerdos a largo plazo con agricultores, cofradías de pescadores y ganaderos de toda España para que, bien directamente o a través de interproveedores, suministraran a Mercadona sus productos para que llegaran más frescos a los supermercados. Cuando empezó con su estrategia de Siempre Precios Bajos, Roig descubrió que los intermediarios le sobraban porque no aportan valor. Entiéndase por «intermediarios» las empresas que compran una producción ajena y la venden con su marca después de un proceso más o menos laborioso que va desde el simple envasado y etiquetado hasta la pequeña transformación. En los productos secos Mercadona ya no tenía intermediarios, pero en los frescos sí. En estos últimos hay multitud de ellos, y las cadenas de distribución reciben críticas de los agricultores por la diferencia de precios entre lo que los productores perciben y lo que pagan los clientes en los supermercados.

Mercadona comenzó a establecer acuerdos con decenas de agrupaciones de agricultores y de ganaderos así como con cofradías de pescadores para comprarles directamente o a través de sus interproveedores con una planificación y una estabilidad de precios que jamás habían tenido. En el caso del pescado, empezó a ir a las lonjas a comprarlo para servirlo directamente en los supermercados de la cadena más cercanos, como han hecho toda la vida las pescaderías. La situación anterior era absurda, sobre todo en los municipios costeros. Mientras las pescaderías de los mercados municipales adquirían el género recién llegado a la lonja o, en los pueblos pequeños, directamente al barco pesquero, el supermercado Mercadona del pueblo ofrecía un pescado mayoritariamente importado de Estados Unidos e Italia y que, aunque fuera español, había pasado antes por un centro logístico para su posterior distribución homogénea por toda la cadena. Con el agravante de que se intentaba ofertar en todas partes todo tipo de pescado al mismo precio, cuando lo propio de una pescadería es dar prioridad a las capturas frescas de la zona al precio de coste más el margen del vendedor. Más fresco y más barato, por pura lógica. Algo parecido ocurría con la fruta exótica o de fuera de temporada que Mercadona se empeñaba en tener para satisfacer a unos pocos clientes, a pesar de ser más cara y menos fresca que la fruta de temporada española. La nueva estrategia en el aprovisionamiento iba a coincidir con la decisión de volver a vender carne al corte y frutas y hortalizas del día.

El compromiso de Mercadona con los agricultores, los ganaderos y los pescadores era: «Yo te compro durante muchos años grandes cantidades, en muchas ocasiones toda la producción, a un precio con el que no tendrás pérdidas [por ejemplo, tras revisar los costes de los ganaderos, Mercadona accedió a pagarles 2,5 céntimos más por litro de leche en 2012]. A cambio, tú te comprometes a revisar los métodos de trabajo para mejorar la productividad y así poder reducir precios, ganando más dinero a medio plazo». A quien replica que no puede ganar más dinero si reduce los precios se le pone el ejemplo de la propia Mercadona y se le anima a seguir sus pasos. El productor tiene que revisar cada coste, apretar a los proveedores de pienso, gasóleo o fertilizantes, comprar o renovar la maquinaria y, en definitiva, averiguar por qué las conejas francesas producen más que las españolas.

Con ello, Juan Roig anunciaba en ese congreso de Aecoc de 2013 que su objetivo era crear una «cadena agroalimentaria sostenible en Mercadona» con el horizonte en 2020, a la que invitó a sumarse al resto de las empresas de distribución. Lo fácil para él sería comprar carne de conejo francesa, pero eso chocaría con uno de los pilares de su estrategia de Siempre Precios Bajos: la cercanía de las fábricas a las tiendas, a través de las plataformas logísticas. De hecho, en su empeño por evitar gastos de transporte, Juan Roig ha obligado a sus interproveedores a abrir factorías junto a sus centros logísticos y a traerse a España producción del extranjero, sobre todo de Francia.

Estrategia «Pan, aceite y hielo»

Una de las críticas recurrentes que Mercadona recibe es que muchos de los productos que ofrece no son españoles, a lo que, añaden sus detractores, tiene perfecto derecho gracias a la libertad de mercado, si bien no es «ético» porque, siendo el líder de la distribución aquí, está perjudicando a la industria agroalimentaria española. Los hechos desmienten esa especie de bulo que circula periódicamente por las redes sociales, a veces en forma de noticia. En noviembre de 2012, la empresa salió al paso de una información sin firma publicada en numerosas webs titulada: «Mercadona elimina 1.800 productos españoles por otros extranjeros de baja calidad». La compañía emitió un comunicado en el que desmontaba, producto por producto, la acusación, explicando de dónde provienen sus naranjas, aceite, leche, calabazas, cereales y pescado.

El caso de los cereales para el desayuno y en barritas es ilustrativo de cómo viene actuando Mercadona, que instó a su fabricante francés, Daylicer, a construir una fábrica en Peñafiel (Valladolid) con una inversión de 30 millones, para ahorrar costes de transporte. Daylicer retrasó la construcción de la planta y Juan Roig decidió desenganchar a este interproveedor y encargar el trabajo a su amigo González Serna (Grupo Siro), que invirtió 45 millones en Toro (Zamora) y en Aguilar de Campoo (Palencia) para ir asumiendo la producción de Francia. Lo mismo ocurrió con el chocolate. Hacendado es la marca líder de tabletas, que hasta 2011 fabricaba la empresa francesa Cantalou. Juan Roig propuso a Antiu Xixona, su interproveedor de turrón, serlo también de chocolate, y la empresa jijonenca invirtió 11 millones de euros en la que es una de las mayores fábricas de chocolate de España, diseñada al alimón con los ingenieros de Mercadona. La materia prima, de momento, continúa sirviéndola Cantalou desde Francia. Años antes, en 2002, ya había forzado a su interproveedora de yogures, la francesa Senoble, a abrir una factoría en Noblejas (Toledo) y continuamente exige a sus satélites abrir fábricas en sus zonas de expansión, más o menos cerca, según una estrategia a la que Juan Roig puso nombre en valenciano: *Pa, oli i gel*.

Pan, aceite y hielo son los nombres de los tres grupos en que Mercadona divide los productos que compra, desde el punto de vista de la logística. Al grupo Pan pertenecen los que pueden producirse en cualquier lugar, como el pan, la pasta o los zumos, cuyas fábricas deben estar cerca de los centros de distribución para ahorrar en transporte. Los artículos del grupo Aceite son aquellos cuyo lugar de producción no es posible trasladar ni replicar, como el aceite de oliva o el vino Rioja. Y los artículos del grupo Hielo son aquellos que pueden transportarse a granel para ser envasados cerca de los almacenes logísticos, como es el caso de los geles de baño.

Esta estrategia llevó a Juan Roig a cerrar en 2005 una de sus empresas, Llanorel, interproveedora de agua mineral de Mercadona. La compañía fundada por su padre e incluida en la compraventa familiar que se produjo en 1981, envasaba agua mineral en el manantial de Macastre (Valencia), pero si quería servir en toda España a precio reducido necesitaba comprar manantiales en otros lugares, algo que estaba muy lejos de sus intenciones. Era un producto Aceite. Mercadona cuenta ahora con varios proveedores e interproveedores de agua, según la zona, con los que no tenía sentido competir desde Llanorel. Todo lo contrario que su otra empresa interproveedora, Forvasa, que ha abierto varias fábricas de pan en toda España para producir cerca de los centros logísticos. Obviamente, el pan es un producto Pan. La estrategia *Pa, oli i gel* se adereza con otras del ámbito logístico, como la del Ocho, que consiste en planificar meticulosamente las rutas para que los camiones que viajan entre fábricas, almacenes y supermercados vayan y vuelvan cargados.

Lo curioso de la polémica sobre el origen de los productos que Mercadona vende es que Juan Roig viene a dar la razón a quienes lo acusan de falta de patriotismo, ya que lo que lo mueve a arrastrar a España las fábricas del extranjero no es un proteccionismo mal entendido sino la evidencia de que cuanto más cerca está el centro de producción del supermercado, más ahorra en transporte y, en el caso de los productos perecederos, más frescos llegan estos al cliente. «Yo no soy de los que dicen: "Consuma usted producto español". Consuma usted el mejor producto lo más barato posible, sea español o no sea español. Lo que pasa es que, si es español, creas riqueza en tu país y, además, logísticamente tiene muchos menos costes», explicó en el congreso de Aecoc.

El precio deja de ser la prioridad

La influencia de Mercadona en la estrategia de crecimiento de sus interproveedores queda suficientemente demostrada con los ejemplos anteriores. Lo que no sospechaban esos empresarios es que las condiciones podían cambiar, como de hecho ocurrió a partir de 2013, cuando Juan Roig les anunció que se había acabado la exclusividad en una categoría de productos. Hasta puso nombre a la nueva estrategia: «Producto Oro». Significa que Mercadona abre la puerta a especialistas en un producto concreto que fabrique un interproveedor si lo hace más barato y con mejor calidad. Ha introducido la competencia entre interproveedores y candidatos a serlo.

Las prioridades de Mercadona habían cambiado dos años antes. «Primero va la calidad y segundo lo más barato posible», dijo Juan Roig. Una vez más, el todopoderoso presidente de Mercadona reconocía un error al que ya había puesto remedio: «A veces, nos hemos equivocado al priorizar el precio. Lo más importante es la seguridad alimentaria, luego la calidad, el servicio y, después, el precio». Al nuevo orden de prioridades le puso un nombre al anunciárselo a los interproveedores en la reunión anual que celebran en febrero: La «Regla de Oro de Mercadona», que se caracteriza por que cualquier producto debe, por este orden, garantizar la seguridad alimentaria, asegurar la calidad, ofrecer servicio, ser competitivo en precio y, por último, generar beneficio. Que el beneficio tanto para el fabricante como para el distribuidor esté a la cola de las prioridades no quiere decir que no sea capital. Si no hay beneficio, no hay producto.

Sin disimular su ascendencia sobre las empresas, Mercadona presume de haber introducido en ellas una nueva herramienta de control, el Decálogo de Seguridad Alimentaria, individualizado para cada fábrica. Poco después de la proclamación de la Regla de Oro, Mercadona retiró once productos cosméticos exclusivos porque mezclaban dos componentes que no deben ir juntos. Como vimos en el capítulo 1, la AEMPS había instado al fabricante a cambiar la fórmula, no a retirar las cremas de los supermercados, pues no suponían riesgo para la salud de los consumidores. El fabricante, RNB, pagó las consecuencias del rigor de Juan Roig en la aplicación de la Regla de Oro: las ventas de esos productos bajaron un 25 por ciento y se produjeron bastantes devoluciones.

El anuncio del presidente de Mercadona de acabar con la exclusividad de los interproveedores por categorías causó un revuelo notable entre los fabricantes, y los cambios no tardaron en producirse. Bonnysa, suministrador de plátanos y frutas tropicales, decidió desengancharse después de saber que iba a perder la exclusividad en algunos productos y fue sustituido por empresas especialistas en cada fruta. El interproveedor farmacéutico Korott, al que Juan Roig había encargado en 2009 crear la línea de higiene bucal Deliplus, vendió esta división en 2013 para centrarse en la fitoterapia, que era lo suyo. El nuevo interproveedor de dentífrico sería Laureano Salcines, un especialista que había vendido su participación en Cosmodent para embarcarse en este proyecto a través de una empresa nueva, Laboratorios Cosmoral. Para financiar la operación, contó con la ayuda de Juan Roig, pero esta vez no fue a través de Atitlan, sino de la propia Mercadona, que tomó el 70 por ciento del capital de Cosmoral con un pacto de recompra por el cual Salcines se hará con la totalidad de aquel en el plazo de tres años. Lo mismo ocurrió poco más tarde con el proyecto de fabricar las maquinillas de afeitar Deliplus en España, veinte años después de que Gillette cerrara la última fábrica española de este artículo. Juan Roig aceptó el proyecto de Rafael Montagud para crear esa factoría en Valencia, que financiaría la propia Mercadona tomando un 93 por ciento del capital con el compromiso de vendérselo a Montagud a lo largo de seis años. La intervención directa de Mercadona en las nuevas operaciones causó cierta sorpresa, pero se explica porque Atitlan ya no estaba.

Roco Centeno, también fuera

Roberto Centeno había desempeñado un papel de gran utilidad a su suegro desde que se instaló en Valencia y montó el fondo Atitlan junto con Aritza Rodero. Su función en la financiación del crecimiento de algunos interproveedores y su participación en la compraventa de otros permitió a Juan Roig organizar las empresas satélites, resolver los problemas que iban surgiendo y reforzar un paternalismo sobre los fabricantes que, a la larga, acabó cansando al propio Roco.

Atitlan ganó mucho dinero con Mercadona, pero se producía la paradoja de que si bien en cada inversión se quedaba siempre con la mayoría del capital, es decir, adquiría el control de la empresa, desde ese momento pasaba a ser interproveedor, con las limitaciones que ello suponía. Igual que algunos empresarios decidieron en su día desengancharse de Mercadona porque preferían la libertad y el riesgo a la seguridad castrante de Mercadona, Roberto Centeno no veía claro eso de tomar el control pero depender de otro, aunque fuera su suegro. Varias veces había manifestado su deseo de invertir a través de Atitlan en empresas ajenas a Mercadona.

La ruptura, no obstante, se debió a otros motivos, relativos a inversiones inmobiliarias de Roco Centeno que no gustaron al padre de su esposa. Juan Roig volvió a demostrar que no se casa con nadie al ordenar la desvinculación de todos los negocios entre Mercadona y su yerno. Atitlan salió de forma acelerada de los cuatro interproveedores en los que permanecía: Ibersnacks (frutos secos), Dafsa (zumos, gazpacho y horchata), Bynsa (comida para mascotas) y Naturvega (ensaladillas y salsas). Todas ellas habían estado en la cartera de Atitlan Alpha entre cuatro y siete años, el período habitual para efectuar la desinversión, pero el momento económico no parecía el más propicio para vender, teniendo en cuenta que el precio se suele calcular en función de los beneficios de la empresa. La salida de Atitlan iba a suponer para los socios minoritarios de cada empresa un importante desembolso, al tener que comprar la mayoría. Por ello, Juan Roig se planteó sustituir el fondo de Roberto Centeno como accionista de sus interproveedores, cosa que finalmente no ocurrió en el caso de los cuatro citados.

Atitlan empezó una etapa nueva en la que buscaba inversiones en sectores ajenos a la alimentación, como el sanitario. En ese momento tenía dos grandes participadas, Sea 8 y Elaia. La primera promueve un proyecto de granja marina en Portugal, mientras que Elaia es una alianza al 50 por ciento con la compañía portuguesa Sovena, interproveedor de aceite de Mercadona, para crear un grupo productor de aceite de oliva en Portugal, España y Marruecos. Para ello, plantó casi 7.000 hectáreas de olivares en los tres países, más de la mitad en Marruecos, que están empezando a dar sus frutos.

El desenganche de Roberto Centeno y Juan Roig supuso también que la gestora Atitlan dejara de administrar el fondo de capital semilla del presidente de Mercadona, Angels Capital. Este fondo, con media docena de pequeñas empresas participadas, adquirió autonomía y se fusionó poco después con Lanzadera, una iniciativa de apoyo a emprendedores de Juan Roig, pero esa historia forma parte del capítulo siguiente.

4

La sociedad

Las memorias anuales de Mercadona desgranan la aportación de la empresa a la sociedad española, medida con diferentes parámetros como la aportación al Producto Interior Bruto (PIB) nacional o el empleo generado, sea directo, indirecto (interproveedores) o colateral. El colateral sería el provocado por la apertura de tiendas alrededor de cada supermercado nuevo, que según un estudio de KPMG es una media de diez. En este sentido, cabe destacar la implantación de supermercados dentro de mercados municipales tradicionales, una iniciativa que provocó recelos cuando Mercadona se instaló en 2001 en el Mercat de Sant Salvador de Vilafranca del Penedès (Barcelona), que no levantaba cabeza. ¿Cómo se les ocurría a los tenderos meter en casa a uno de los señalados como causantes de su declive? La fórmula se demostró tan efectiva como lo es la presencia de El Corte Inglés en cualquier zona comercial, por la sencilla razón de que Mercadona es un polo de atracción y lo que los tenderos necesitan es que los clientes vayan al mercado, que ya se las apañará cada uno para conquistarlos. Después del de Vilafranca, Mercadona ha abierto más de veinte supermercados en mercados tradicionales, la mayoría de ellos en Cataluña y Madrid, y tiene peticiones de toda España. Otras aportaciones de las que la empresa valenciana presume son la donación de alimentos a instituciones benéficas, 470 toneladas en 2012 y 1.200 toneladas donadas por sus clientes, que choca con la polémica generada por una crítica del responsable de un banco de alimentos en el programa de televisión *Salvados*, porque al suyo no llegaban; las medidas para reducir el impacto de su actividad en el medio ambiente, con 145.500 toneladas de papel y cartón enviado a reciclar en 2012, y la colaboración con centros de discapacitados, entre ellos la Fundación Roig Alfonso, donde el hermano pequeño del presidente de Mercadona y sus compañeros componen los murales de *trencadís* que decoran las secciones de pescadería y carnicería de los establecimientos de la cadena.

Pero eso es solo la repercusión que Mercadona tiene en la sociedad. La de Juan Roig es mayor y más interesante, tanto en la esfera pública como en la privada. En toda sociedad conviven un poder institucional y unos poderes fácticos, que ostentan, según el caso, la Iglesia de turno, los militares, los bancos, los sindicatos, los *lobbies* económicos o sociales y, en general, quienes manejan el dinero de un país, como los hacendados, nunca mejor dicho en el caso de la Comunidad Valenciana. Allí, desaparecido el sistema financiero autóctono y arruinada la Generalitat, que durante años adormeció a la sociedad civil a base de subvenciones, el único poder fáctico digno de tal calificativo en la actualidad es Juan Roig. «Es el puto amo», dicen quienes envidian esa facultad suya de hacer lo que le venga en gana y, además, ganándose un reconocimiento del que nunca gozaría el poder político. Juan Roig no tiene que dar explicaciones, hace lo que quiere con su dinero, a veces de forma pública y otras sin que se sepa, aunque al final alguien sugiera que «esto lo ha pagado Mercadona».

Convertido de hecho en una institución más a la que pedir ayuda, la «obra social» de Juan Roig ha ido ganando protagonismo a medida que la de las cajas de ahorros valencianas se esfumaba y las subvenciones públicas mermaban como consecuencia de la crisis. De su dinero viene su poder, que utiliza en provecho propio, como haría cualquiera, pero cada vez más con objetivos filantrópicos, de acuerdo con su particular concepción de la vida como un recorrido de esfuerzo en busca de la excelencia. Roig pone dinero para ayudar a triunfar, pero no regala pescado, sino cañas con manual de instrucciones y un cubo que llenar de doradas, lubinas o salmonetes. Si no lo llenas, tendrás que demostrar que mereces otra oportunidad o dedicarte a otra cosa.

En la política, su influencia es notoria cuando se dictan normas de contenido económico y lo ha sido en el caso de algunos nombramientos. En la esfera civil, su generosidad se desborda cuando se trata de formar empresarios a su imagen y semejanza con proyectos emprendedores que se inspiren en el modelo de Gestión de Calidad Total de Mercadona. Juan Roig se ha creído lo que es, una persona inmensamente rica que puede aportar a la sociedad algo más que dinero: la fórmula para hacerlo. Como Bill Gates y otros grandes empresarios que han ganado más capital del que podrían gastar, el presidente de Mercadona ha decidido devolver a la sociedad parte de lo que esta le ha dado, como le gusta repetir. Disfruta en su nueva faceta altruista para la que ha encontrado un modelo alternativo a la beneficencia acorde con sus dogmas.

Pero antes de repasar su actividad más o menos filantrópica, procede hacer un poco de historia para ver que este empresario no era tan diferente de los demás cuando era menos rico, cuando empezó la aventura de Mercadona y a lo que aspiraba era a ganar mucho dinero, disfrutarlo y pasar inadvertido. Juan Roig quería ser el líder sin estar en primera línea, quería que Mercadona fuera como El Corte Inglés, y él, como Ramón Areces o Isidoro Álvarez.

La prensa incómoda

Cuando Juan Roig se hizo cargo de Mercadona en 1981, el rey de la distribución era Ramón Areces, fundador de El Corte Inglés, al que sucedió su sobrino Isidoro Álvarez. El joven empresario valenciano ni se planteaba llegar a superar tres décadas después al monstruo de la distribución, que aún lo fue más cuando en 1995 absorbió Galerías Preciados, pero tenía muy claro que algo tenía que copiar de líderes como El Corte Inglés o Wal-Mart si quería crecer. Una de las cosas que le gustó del gigante español fue la forma de relacionarse con los medios de comunicación.

En los años noventa, Mercadona empezó a ser tenida en cuenta y su presidente tomó la decisión de aparecer en los medios de comunicación lo mínimo. A Juan Roig nunca le gustaron los periodistas, no entendía su interés en preguntar por sus negocios, por su dinero y, mucho menos, por su persona, pero la empresa era cada vez más requerida por los medios, en los que desde 1993 había dejado de insertar publicidad. Con ellos se comunicaba mediante notas de prensa y matizaciones de su portavoz, Salvador Broseta, el amigo de la infancia en Poble Nou, hijo del dueño de los ultramarinos situados enfrente de la casa de los Roig. Salvador llegó a la jefatura del área de prensa de Mercadona desde la dirección del departamento de Informática de la cadena, tras intentar convencer a su amigo de que informática e información solo se parecen en el nombre, por lo que su experiencia para el puesto era nula. El nuevo responsable de comunicación temía, sobre todo, la reacción iracunda de su presidente ante cualquier información inesperada, lo que le llevó a establecer una práctica que se convirtió en marca de la casa, la de llamar insistentemente a los periodistas para saber qué iban a publicar y cuándo a fin de que Roig estuviera prevenido.

El recelo de Juan Roig hacia los medios de comunicación no era algo excepcional en el ámbito económico, al menos en la Comunidad

Valenciana, donde los empresarios rechazaban salir en los periódicos en un formato que no fuera el del publirreportaje. La mayoría, ni eso, empezando por Paco Roig padre, hombre de acción y no de declaración. Grandes emprendedores que tenían una historia tan digna de ser contada como la de los *self-made men* americanos de leyenda preferían disfrutar de su éxito en privado.

No fue ajeno a ese distanciamiento mediático el secuestro que sufrió en 1981, durante tres meses, Luis Suñer, propietario de Helados Avidesa y otras empresas, por parte de la banda terrorista ETA. Suñer no hacía ostentación de su poderío económico fuera de Alzira (Valencia), en una época en la que los medios de comunicación no eran tan de masas. No era un empresario conocido, pero ETA lo eligió porque figuraba como el español que más impuestos había pagado en 1978, según constaba en la lista oficial de los mayores contribuyentes que Hacienda publicaba. El secuestro de Suñer en su despacho a punta de metralleta metió el miedo en el cuerpo a los patronos e hizo más difícil que se asomaran a los medios. Un miedo comprensible que se alimentó durante casi tres décadas con otros secuestros de empresarios españoles.

Juan Roig tomó precauciones cuando el nombre de Mercadona empezó a ser habitual en las noticias económicas. Se hizo acompañar por un guardaespaldas y optó por dejar el País Vasco y Navarra, territorio Eroski, a la cola de sus prioridades de expansión. No fue hasta 2013, casi tres años después del último asesinato de ETA y del anuncio de su tregua indefinida, que Mercadona inauguró su primer supermercado en Navarra y anunció su desembarco en el País Vasco, donde miles de personas que la conocían por sus veranos en la costa del Mediterráneo y en Andalucía la esperaban con los brazos abiertos.

Así pues, solo quienes aspiraban a un puesto de representación en organizaciones empresariales se prodigaban como la voz de los patronos, en ocasiones sin estar a la altura. Entre ellos no estaba el presidente de Mercadona, cuyo peso en el mundo empresarial se hacía patente de la manera que a él le gusta, esto es, colocando peones en organizaciones patronales para que defiendan sus intereses. Desde la perspectiva empresarial, Juan Roig quería que Mercadona solo fuese noticia cuando abriese un supermercado o un centro logístico y al terminar cada ejercicio, con los datos positivos más relevantes, siempre mediante una nota de prensa, sin congregar a los periodistas. Un paso relevante se produjo a partir de 1999, con la convocatoria de una rueda de prensa anual, en marzo, para comunicar los resultados del año anterior de la compañía; como hacía El Corte Inglés cada mes de agosto, pero con preguntas. La cita ya es clásica en la agenda periodística valenciana y se celebra en la sede de Forvasa, en Puçol (Valencia), de la que los profesionales de la información salen con mucho material publicable y una selección de productos Hacendado de regalo en la conocida bolsa de rafia de Mercadona.

Si los genes, la cultura empresarial y el carácter poco extravertido no eran motivos suficientes para huir de la prensa, Juan Roig tuvo dos malas experiencias que aumentaron su desconfianza. La primera acaeció en 1994, cuando *Abc* publicó, solo en su edición de Alicante, que Mercadona estaba al borde de la suspensión de pagos. Un bombazo en plena aplicación del modelo de Gestión de Calidad Total que ponía en peligro la estabilidad de la empresa. En 1993, Mercadona facturó 153.800 millones de pesetas y ganó «solo» 1.439 millones (el 0,94 por ciento). Su solvencia había empeorado de forma preocupante en los tres años anteriores, con un fondo de maniobra negativo, un 50 por ciento mayor y un beneficio que había caído a la mitad. El fondo de maniobra —la capacidad de pago en el plazo de un año— suele ser negativo en las empresas de distribución, que en todo momento deben mucho dinero a los proveedores mientras cobran al contado. Pero en Mercadona ese desequilibrio crecía a un ritmo mucho mayor que el de las ventas. A principios de 1993, la empresa comunicó a los sindicatos la posibilidad de cerrar supermercados y reducir plantilla, posible origen de los rumores de suspensión de pagos que circularon durante aquellos meses. No lo hizo. En lugar de recular, Juan Roig decidió dar su primer gran volantazo. Al año siguiente, la consecuencia inmediata del SPB fue que subían las ventas pero caían los márgenes y los beneficios, lo cual perjudicó aún más la cuenta de resultados de Mercadona a corto plazo, pero mejoró su capacidad de pago, al aumentar la rotación de los productos. El rumor, alimentado por una oleada de suspensiones de pagos en el sector de la distribución comercial española —en 1994 se produjeron 29, la última la de Galerías Preciados—, acabó por salir publicado, para disgusto de Juan Roig.

La segunda decepción llegó varios años después en un ámbito muy diferente. La familia Roig-Herrero había empezado a codearse con la *jet set* valenciana, había dejado la falla La Bicicleta para apuntarse a la comisión de Convento Jerusalén, la falla de los que tienen dinero o quieren aparentar que lo tienen, y cedió a la tentación de mostrar su casa en la revista *Sociedad*, publicación ya desaparecida con aspiraciones de ser el *¡Hola!* valenciano, de escasa tirada y circulación entre aquellos que la protagonizaban. La iniciativa no pudo ser de él, dado su carácter reservado, por lo que debió de ser de Hortensia Herrero. Los responsables de *Sociedad* no estaban al tanto de la actualidad económica ni de la historia de los Roig, y eligieron para presentar al personaje en la portada el titular más desafortunado posible: «Juan Roig, presidente de Mercadona y hermano de Paco Roig», como si lo primero no fuera suficiente y hubiese que añadir el parentesco con el entonces presidente del Valencia CF. Si el titular se lo hubiesen encargado al propio Paco, no habría tenido tan mala uva. Los Roig-Herrero se olvidaron desde entonces de los medios de comunicación y continuaron con su vida social muy activa pero alejada de los focos. En cambio,

Juan Roig se veía cada vez más expuesto, no tanto por Mercadona como por su participación en iniciativas empresariales y deportivas.

El Valencia CF, un mal negocio

Juan y Fernando Roig cometieron un error que pudo costar caro a su imagen cuando en 1996 se convirtieron en importantes accionistas del Valencia CF, aprovechando una operación para controlar el club de fútbol urdida por su hermano mayor. La entidad había sido obligada a convertirse en sociedad anónima deportiva en 1991 debido a la Ley del Deporte. El club valencianista distribuyó las acciones entre más de 22.000 aficionados y siguió funcionando de forma asamblearia en las juntas de accionistas, ya que ningún particular poseía más del 2 por ciento. Juan Roig era abonado de número y acudía a cada partido en su estadio, primero a la tribuna y después al palco VIP que Paco Roig habilitó. En 1994, Paco alcanzó la presidencia tras una campaña electoral a la vieja usanza, prometiendo grandes fichajes y títulos. Su primera medida fue crear el palco VIP, al que se trasladaron personas pudientes como su hermano Juan, quien se sentaba cada domingo en primera fila de ese espacio privilegiado junto a su amigo Federico Félix, por aquel entonces presidente de la Asociación Valenciana de Empresarios (AVE). Un año más tarde Paco Roig planteó una macroampliación de capital —del 200 por ciento— que muchos sospecharon que era un intento para hacerse con la mayoría accionarial. Por ello, la operación fue rechazada en junta de accionistas, pero en el siguiente ejercicio se aceptó con la condición de que ninguna persona física o jurídica pudiera suscribir más de 9 acciones, de las 187.000 emitidas. El presidente y otros miembros del consejo de administración utilizaron a miles de testaferros en toda España para acudir a la ampliación con el tope de 9 acciones cada uno que, al día siguiente, les traspasaron a ellos, sin ningún esfuerzo por disimular la jugada.

Entre quienes consiguieron grandes paquetes de acciones, a través de tres empresas, estaban Juan y Fernando Roig. Meses antes, Fernando, quien no se fiaba de Paco, le había obligado a aceptar como gerente del Valencia a Manuel Llorente, ex director de tiendas y ex consejero de Mercadona. Aunque todo el mundo interpretó que era Juan quien lo colocaba allí para controlar a su temperamental hermano, fue Fernando, que había coincidido con Llorente en el consejo de administración de Mercadona, quien tuvo la idea de juntar el agua con el aceite. Aquello no podía funcionar. Paco Roig alcanzó el 15 por ciento del capital, y sus hermanos, el 7,5 por ciento entre los dos. Pronto Juan y Fernando se dieron cuenta de que se habían equivocado, ya que los éxitos del Valencia iban a ser de Paco, pero los fracasos y los líos salpicarían a todos los Roig y, lo que es peor, a Mercadona. Casi tres años permaneció Paco al frente del club, y varios más como primer accionista, sin títulos que apuntarse y un rosario de enfrentamientos a diestro y siniestro.

El nombre de Mercadona empezó a sonar en discusiones futboleras y no en tono positivo. Tan incómodos estaban sus hermanos que cuando en 2001 dimitió su sucesor y Paco se postuló de nuevo como presidente, Juan y Fernando no dudaron en apoyar a su oponente, Jaume Ortí, que lo derrotó en una tormentosa junta general con el apoyo también de Manuel Llorente. Los presidentes de Mercadona y Pamesa anunciaron entonces el reparto de todas sus acciones de la manera en que se tenía que haber hecho en la ampliación de capital, es decir, a 9 títulos por persona. Las vendieron a 48 euros por acción, lo mismo que ellos habían pagado en 1996, a pesar de que quienes se disputaban el poder las compraban seis veces más caras. Este gesto de desmarcarse de su hermano mayor y revender sus acciones sin obtener beneficio les sirvió para borrar la imagen negativa acumulada en ese período. Paco, sin embargo, no se rindió y dos años después lanzó una opa a 600 euros por acción. La directiva del Valencia y Llorente buscaron un «caballero blanco», el constructor Bautista Soler, que contraatacó con una oferta por el mismo precio. Finalmente, el gobierno valenciano intervino y forzó a Paco Roig a vender sus acciones a Bautista Soler por 31 millones de euros. Este delegó en su hijo, Juan Soler, quien despidió a Manuel Llorente e inauguró la etapa más negra del Valencia CF.

En el momento de vender sus acciones, Fernando Roig ya triunfaba con el Villarreal, club de fútbol, comprado en 1997 y ascendido a Primera División al año siguiente, que pasó a ser también el equipo preferido de Juan. El presidente de Mercadona, por su parte, dirigió sus aficiones deportivas al Valencia Basket, del que era fundador.

Mercadona Basket Club

El Valencia Basket fue la primera obra filantrópica de Juan y Fernando Roig. En una ciudad con muy poca tradición de baloncesto masculino, sin ningún equipo en la máxima categoría, los dos hermanos y su amigo Paco Raga, también empresario, se hicieron cargo de la sección de baloncesto del Valencia CF cuando el club de fútbol descendió a Segunda División en 1986. Ahogado por los problemas económicos, la directiva del Valencia CF pidió al responsable de la sección, Vicente Solá, que buscase dinero porque ya no era posible mantenerla. Solá ofreció a los hermanos Roig, incluida Trini, y a otros empresarios como Paco Raga y Andrés March hacerse cargo del equipo, recién ascendido a la categoría de plata del baloncesto. Nacía así el Valencia Basket Club.

Hacía dos años que se había creado la Liga ACB y que España había sido subcampeona en los Juegos Olímpicos de Los Ángeles. Jugadores negros empezaban a llegar a equipos que no eran el hegemónico Real Madrid, los niños se apuntaban al baloncesto en el colegio y los adultos como Juan Roig cogían afición al deporte de moda, pero en la tercera ciudad de España no había un equipo masculino de élite. Así que los Roig, junto con Solá, Raga y otros incondicionales de la canasta empezaron casi de cero un proyecto para que Valencia tuviese un equipo de altura. Si alguna vez soñaron con hacer del baloncesto un negocio, no tardarían en ver que no iba a ser así. Según calculó Raga en 2013, Juan Roig, como máximo accionista y mecenas, había aportado en 26 años unos 125 millones de euros al Valencia BC, incluidas varias obras de remodelación y acondicionamiento del pabellón Fuente de San Luis, la *Fonteta*, de propiedad municipal. Con Fernando Roig de presidente, el equipo logró ascender a la Liga ACB en 1988 e inició una trayectoria gris bajo el patrocinio de Pamesa, que terminó con el descenso de categoría en 1995. Juan Roig, abatido, se planteó abandonar el proyecto, pero Solá convenció a Fernando y este a su hermano, y volvieron a poner dinero, Fernando como patrocinador y Juan y Hortensia Herrero como mecenas. A golpe de talonario, la nueva etapa fue fructífera en muy poco tiempo, con Miki Vuckovic como entrenador. El club volvió a la élite en 1996 y dos años después logró su primer título, la Copa del Rey.

Ese 2 de febrero de 1998, en los vestuarios del pabellón de Valladolid en el que el Pamesa Valencia había ganado la final frente al Joventut, se produjo un acontecimiento que marcó un antes y un después en la proyección pública del presidente de Mercadona. Allí, entre cava, duchas de agua y petardos, Juan Roig decidía quitarse el peluquín que disimulaba su calvicie para, a partir de entonces, aparecer con la imagen que años atrás había popularizado el actor Sean Connery, cabeza despejada y barba blanca recortada. Hasta esa fecha, el empresario había lucido un flequillo que todo el mundo sabía impostado y el rostro bien afeitado. No fue solo un cambio de imagen, sino también de actitud de cara a los medios de comunicación, consciente de que sus responsabilidades lo obligaban a dar la cara. Acababan de nombrarlo presidente de la asociación nacional de fabricantes y distribuidores Aecoc y lo iba a ser del club de baloncesto. Fue Carlos Calero, el único capaz de frenarlo cuando quería bajar al vestuario a abroncar a los jugadores, quien concibió la nueva estrategia, basada en que Juan Roig apareciera en los medios pero poco, de forma gradual, con la rueda de prensa anual y una o dos entrevistas al año, construyendo para él un escudo protector de su imagen que todavía perdura.

Respecto a la empresa de Roig, su mano derecha acrecentó el esfuerzo por controlar toda la información publicada, para que la historia de Mercadona la escriba Mercadona. Con el fin de facilitar el contacto con los medios, contrató a su amigo Manuel Martín Ferrand, con quien había coincidido en Antena 3 TV cuando Mercadona fue accionista de la nueva cadena de televisión privada. Con él trabajaba otro veterano periodista de Antena 3, Luis Ángel de la Viuda, quien durante varios años acompañó a Juan Roig en sus encuentros con los periodistas.

También en 1998, Juan sustituyó a Fernando como presidente de Pamesa Valencia. El club se convirtió entonces en una extensión de Mercadona, con personal desplazado de la empresa de supermercados para aplicar de alguna forma el modelo de Gestión de Calidad Total, con categorías de gerente A, B o C para los que no eran jugadores del primer equipo, así como con una oferta personal de Juan Roig de contrato vitalicio a profesionales como el jugador Nacho Rodilla, que la aceptó, y Miki Vuckovic, que la rechazó. El entrenador fue despedido al finalizar esa temporada, y Rodilla, cuatro años después, tras una rocambolesca negociación en la que el jugador dejó plantado al presidente en una rueda de prensa que iban a dar juntos para anunciar el acuerdo. En lugar de anular la convocatoria, Juan Roig compareció en solitario para decir que no tenía nada que anunciar. La *mercadonización* del baloncesto la dirigió Víctor Sendra, ex coordinador en el departamento de administración de Mercadona, sin experiencia previa en el mundo del deporte. Fue un fracaso. Consiguió un par de buenas temporadas y un título europeo, la Copa ULEB en 2003, pero el propio Juan Roig admitió su derrota en 2007, cuando presentó la dimisión: «Yo he querido presidir y dirigir el club con un idéntico perfil de ejecutivos que tan buen resultado me ha dado en mi empresa. Acepto que el modelo de gestión que hasta ahora ha llevado el club no es el adecuado después de veinte años y que no hemos conseguido hacer un gran club», dijo, al tiempo que destituía a Sendra, quien volvió a la empresa de supermercados. Añadió que se iba con la lección aprendida de que «lo que puede funcionar muy bien en un sitio no tiene por qué hacerlo en otro» y que un club de baloncesto necesita un presidente que piense las 24 horas en baloncesto, cosa que él no podía hacer por razones obvias.

Para hacerse cargo del club el mecenas eligió como presidente ejecutivo a un viejo conocido, Manuel Llorente, pero aún no habían pasado dos años cuando este fue llamado por Bancaja y la Generalitat para controlar el avispero del club de fútbol, rescatado gracias a un préstamo del banco avalado por el Instituto Valenciano de Finanzas. Llorente pidió a Juan Roig que lo liberase del compromiso asumido en el Valencia BC y, aunque de mala gana, su amigo así lo hizo, no sin antes aclarar a la opinión pública que ni él ni Mercadona tenían relación alguna con la nueva etapa de Llorente, no fuera nadie a pensar que era Juan Roig quien lo mandaba allí, como la vez anterior. «Mi participación en este proceso se ciñe única y exclusivamente a acceder a la petición que me ha realizado Manolo Llorente. Tras acceder a esta petición, doy por finalizado el asunto, ya que no tengo ningún tipo de vinculación directa ni indirecta con el Valencia CF ni con las responsabilidades que allí vayan a encomendar a Manolo Llorente», zanjó en un comunicado.

Poco después, el club de baloncesto empezaba su enésima «nueva etapa» al anunciar los hermanos Roig su paulatina desvinculación del proyecto. Se canceló el patrocinio de Pamesa y la subvención anual de Juan se redujo, con la advertencia de que en dos años cesaría. No cesó. El club, presidido por Vicente Solá, se apretó el cinturón, consiguió el patrocinio para tres años de Power Electronics, a un millón de euros por ejercicio, y se preparó para afrontar una etapa sin grandes fichajes ni éxitos. Pero como los recortes afectaban a todos los equipos, el primer año consiguió su segundo título europeo y el cuarto puesto en la Liga ACB. La segunda temporada del Power Electronics también fue buena, lo que despertó en Juan Roig una renovada ilusión y unos celos hacia el patrocinador, que se llevaba toda la gloria por un millón de euros mientras que él ponía seis. Así que, de pronto, el animador de los partidos de la *Fonteta* dejó de celebrar las canastas del Power para cantar las del Valencia Basket y la visibilidad del patrocinador menguó hasta en la camiseta. El dueño de la empresa financiadora, Amadeo Salvo, dijo que no pagaba un millón de euros para que lo ninguneasen y ahí acabó su aportación económica, de mutuo acuerdo, un año antes de lo previsto. Curiosamente, Salvo saltó a la fama en el año 2013, cuando fue nombrado presidente del Valencia CF tras la dimisión de Manuel Llorente.

Con la retirada del patrocinador y la «vuelta» del mecenas que nunca se fue, el Valencia BC empezó otra nueva etapa en la que el empresario gurú que ya era Juan Roig no buscó ningún patrocinador para su camiseta naranja, sino que inscribió en el frontal el dogma que venía difundiendo como solución a la crisis: «Cultura del esfuerzo».

Los *lobbies*

Meses antes de su cambio de imagen personal, Juan Roig había sido elegido presidente de Aecoc, una organización que bajo su mandato (1997-2005) dejó de ser solo la Asociación Española de Codificación Comercial, dedicada a promover la implantación del código de barras y otros sistemas de codificación, para convertirse en un foro de encuentro permanente entre fabricantes y distribuidores con la intención de abordar todo tipo de problemas comunes. Un foro de entendimiento que apaciguó el tradicional enfrentamiento entre las dos partes y que tuvo su prueba de fuego en el congreso anual de 2009, en el que Juan Roig, que es presidente de honor desde 2005, explicó a decenas de fabricantes perjudicados su volantazo del año anterior. El número uno de Mercadona era alguien en el mundo de la distribución desde que en 1982 dio un impulso a Aecoc y a la codificación en el comercio al poner lectores de códigos de barras en sus cajas cuando nadie los utilizaba. Su trayectoria es una sucesión de estrategias peculiares que son analizadas por sus competidores, los fabricantes, la prensa y las universidades. Su apuesta por el código de barras y, veinte años después, por nuevos sistemas de codificación ha beneficiado no solo a la distribución de alimentación y hogar, sino a otros sectores que se apuntaron a Aecoc como la sanidad, la hostelería o el bricolaje, hasta casi duplicarse el número de socios bajo la presidencia de Roig.

Juan Roig había descubierto lo útil que puede ser el asociacionismo empresarial para influir en los políticos de la mano de Carlos Calero, que representaba a Mercadona en la Cámara de Comercio de Valencia, la Confederación Empresarial Valenciana y una asociación de ámbito nacional impulsada en 1999 por el propio Calero, la Asociación Española de Distribuidores, Autoservicios y Supermercados (Asedas). Hasta entonces existía, por un lado, la asociación de grandes empresas de distribución, Anged, y, por otro lado, las innumerables asociaciones locales en las que se organizaba el pequeño comercio.

La liberalización de los horarios de apertura al público era solo una parte de la batalla que libraban grandes y pequeños; las tiendas urbanas, en especial, se veían amenazadas por los centros comerciales situados en el exterior de las ciudades y que ofrecían precios más bajos. Juan Roig se dio cuenta de que sus intereses no coincidían con los de las grandes superficies y promovió la creación de Asedas, en la que se integraron las centrales de compra IFA y Euromadi, así como varias cadenas de supermercados. Su objetivo era defender el comercio de alimentación en las calles de las ciudades, que se estaban vaciando por el progresivo desplazamiento de las compras que hacían los consumidores al fin de semana. Asedas se alió con el pequeño comercio para rechazar la apertura en domingos y festivos, y en 2004 Mercadona anunció que no utilizaría los ocho domingos permitidos por la legislación, excepto si coincidían dos festivos juntos. A pesar de que en 1999 no llegaba a los 500 supermercados, la empresa consiguió con una rápida expansión contrarrestar la atracción de las grandes superficies, algo que también logró Inditex apostando por las tiendas en las ciudades, en este caso ubicadas en las zonas más comerciales. La batalla continúa entre ambos modelos, pero así como en ropa los centros comerciales del extrarradio son bastante fuertes, en alimentación parece haberse impuesto la tradición de ir a comprar a pie y no en coche.

Poco después de ceder el testigo a Juan José Guibelalde en Aecoc, Juan Roig fue elegido presidente de otra importante asociación de ámbito nacional, el Instituto de la Empresa Familiar (IEF), *lobby* de grandes empresas familiares creado en 1992. Ocupó el cargo durante tres años, en los que aprovechó para transformar en peticiones colectivas al gobierno algunas ideas que ya repetía a quien quisiera escucharle, como la necesidad de más inversión en formación, más flexibilidad, una administración pública más ágil y medidas contra el absentismo como, por ejemplo, la asunción de las altas laborales por parte de las mutuas de trabajo. Su salida de la presidencia del IEF coincidió con el volantazo de 2008. Para entonces, Juan Roig era reclamado en toda España para dar conferencias como gurú empresarial. Él tampoco había visto venir la crisis, pero sí había sido el primero en tomar medidas drásticas y uno de los pocos empresarios sin cargo representativo que se atrevía a decir al gobierno y a los españoles lo que tenían que hacer si querían salir del hoyo, con frases como estas: «Nos hemos pasado veinte pueblos», «Hay que tomar medidas valientes, aunque sean impopulares» o «La crisis acabará cuando el nivel de productividad del país se corresponda con el nivel de vida». Cuando sorprendió con aquello de que «el año 2011 tiene una cosa buena, y es que será mejor que 2012», su encuentro anual con la prensa pasó de ser una cita a un acontecimiento.

Eso lo dijo en marzo de 2011, dos semanas después de entrar en el olimpo del empresariado español, el recién creado Consejo Empresarial para la Competitividad (CEC), un *lobby* promovido por los presidentes de las siguientes empresas: Telefónica, El Corte Inglés, Mango, Banco Santander, Repsol, Acciona, La Caixa, BBVA, Mapfre, Inditex, Grupo Planeta, ACS, Ferrovial, Iberdrola y Mercadona, además del Instituto de la Empresa Familiar. Bajo la presidencia de César Alierta, se presentó como «un *think tank* que suma compromisos y esfuerzos para aportar propuestas que mejoren la competitividad, ayuden a la recuperación económica y fortalezcan la confianza internacional en España». Es decir, un *lobby*.

En las propuestas del CEC se nota la influencia de un Juan Roig que si se apunta a algo es para aprovecharlo, no para salir en la foto ni para perder el tiempo. Lo demostró cuando a esos grandes empresarios y a una veintena más los convocó el presidente José Luis Rodríguez Zapatero un sábado de noviembre de 2010 en La Moncloa para que le dijesen cómo afrontar la crisis. Juan Roig no acudió porque tenía una cita de trabajo. Ya había tenido bastante dos meses antes con la reunión «sin corbatas» de empresarios convocada por Francisco Camps en el Palau de la Generalitat valenciana, a la que Roig acudió con corbata y se negó a quitársela, en una clara demostración de «yo hago lo que me da la gana». Camps quería la foto, como Zapatero, y en ella salió Juan Roig, encorbatado, junto a una treintena de empresarios y políticos, a cuello abierto y hasta sin chaqueta, pues fueron tres horas bajo un calor infernal. Zapatero convocó una segunda reunión a la que el presidente de Mercadona sí acudió para repetirle la lista de reproches y tareas que le había lanzado en público en la rueda de prensa de resultados, que se acababa de celebrar.

Un ejemplo de la actuación de los *lobbies*, en este caso de Aecoc, fue el de las bolsas de la compra. Veinticinco años antes de que todos los supermercados e hipermercados de España empezaran a cobrar las bolsas de plástico que hasta entonces regalaban con la compra, alguien sugirió a Juan Roig la conveniencia de hacerlas pagar, aunque fuera a una peseta por bolsa, precio que cubriría con creces su coste. Quién iba a negarse a pagar una peseta más al pasar por caja. Algunos establecimientos de barrio independientes ya cobraban hasta un duro. La prueba se hizo en un solo supermercado de la cadena, en Alicante, y fue decepcionante. Los extranjeros aceptaban lo que en sus países era habitual, mientras que los españoles protestaban contra el «abuso» que suponía cobrarles lo que era gratis «de toda la vida».

La iniciativa se aparcó, pero no se abandonó. Años después, Juan Roig compartió la idea con otros grandes empresarios de la distribución y vio que todos estaban de acuerdo en quitarse ese coste de encima. La oportunidad la dio la corriente de opinión a favor de la protección del medio ambiente que surgió tras la firma en 1997 del Protocolo de Kioto sobre el cambio climático.

A partir de 2002, países como Irlanda, China o India empezaron a gravar o prohibir la entrega de bolsas de plástico de un solo uso a los compradores, y en España las grandes asociaciones de distribución sugirieron al gobierno que las prohibiese. Cuando el Plan Nacional Integrado de Residuos estableció en 2008 un calendario para reducir el consumo de bolsas de plástico a la mitad, Mercadona fue la primera en realizar la prueba de cobrar dos céntimos de euro por bolsa, en los supermercados de Barcelona. Al Gore había sido galardonado con un Oscar por el documental *Una verdad incómoda* y la supuesta isla de bolsas, del tamaño de Texas, que decían que flotaba en el océano Pacífico había dado que pensar a los consumidores.

La sociedad había cambiado respecto a la de finales de los años ochenta. Carrefour fue la primera gran empresa de distribución que generalizó el cobro en todos sus hipermercados. Mercadona hizo otro gran ensayo en Andalucía, diseñó una bolsa de rafia, que fue todo un éxito, y empezó a cobrar dos céntimos por la bolsa de un uso y diez por la de varios usos en junio de 2011. Según había confesado Juan Roig, las bolsas de plástico le costaban a Mercadona 35 millones de euros anuales. En solo un año, se ahorró ese dinero y aún sacó algo más, ya que repartió un 80 por ciento menos de bolsas y las que entregó las cobró a un precio superior a su coste.

Influencia política

Cuando Juan Roig rescató la Mutua Valenciana de Levante (Muvale) y nombró director a Héctor Blasco, la entidad contrató como directivo a Luis Fernando Cartagena, *conseller* de Obras Públicas de la Generalitat valenciana que había sido obligado a dimitir por Eduardo Zaplana al verse envuelto en un escándalo de cesiones de crédito del Banco Santander. Ya en Muvale, Cartagena fue procesado y condenado a prisión por apropiarse del donativo de unas monjas en su anterior etapa como alcalde de Orihuela, pero se mantuvo en la mutua antes y después de pasar por la cárcel. ¿Por qué? En aquel momento se interpretó que el presidente de Mercadona le hizo un favor a Zaplana, quien en ocasiones recurría a empresas para acomodar en el sector privado a los suyos una vez que prescindía de ellos.

Hacer un favor al presidente con más poder que ha tenido la Comunidad Valenciana podía ser una gran inversión en un momento en el que se discutían asuntos como los horarios comerciales o la limitación de nuevas grandes superficies. Cuando Juan Roig empezó a mover hilos a través de los *lobbies* empresariales, Zaplana mandaba mucho en su comunidad, donde no se movía una hoja sin que el presidente de la Generalitat lo supiese. Manejaba a su antojo a los sindicatos y la patronal, y los pocos dirigentes empresariales que quisieron hacerle frente acabaron descabalgados. Los empresarios que le seguían el juego obtenían su recompensa en forma de contratos, de asientos en consejos de administración de cajas de ahorros, ferias o puertos y de excelente trato a sus organizaciones. Juan Roig no hizo la pelota a Zaplana pero tampoco se enfrentó a él. Guardó las distancias y se limitó a tener una relación correcta que comenzó al poco de ganar las elecciones el PP por primera vez en Valencia, en 1995, con la instauración de una visita de cortesía anual al Palau de la Generalitat para dar cuenta al *president* de los resultados de Mercadona, pocos días antes de hacerlos públicos. Tan discreta era la visita que no se conoció hasta 2011, cuando la Generalitat presidida por un Francisco Camps al borde del banquillo aprovechó la cita para divulgar la foto del encuentro.

Con el anterior *president*, el socialista Joan Lerma, la relación no fue de poder a poder, porque en aquella época el peso de Juan Roig era escaso. Con Francisco Camps sí fue de poder a poder.

Camps llegó al Palau de la Generalitat en 1993, el mismo año en que Roig empieza a controlar la Asociación Valenciana de Empresarios (AVE). Este *lobby* de los cien mayores empresarios de esa comunidad, creado en 1981, comenzó a tener protagonismo en 1995, cuando su presidente, Federico Félix, gran amigo de Juan Roig, propició en una reunión el pacto entre el PP y Unió Valenciana que aupó a Zaplana a la presidencia, en lo que se denominó el «Pacto del Pollo», por ser Federico Félix un empresario avícola. Bajo la presidencia de Félix, AVE se significó como grupo de presión no frente a Zaplana, sino junto a Zaplana frente al gobierno central. Juan Roig participaba en un segundo plano mientras situaba a Carlos Calero en la patronal y en la Cámara de Comercio. Hubo un momento en que pensó que podía controlar la Confederación Empresarial Valenciana, que sufrió una crisis institucional y económica por un escándalo relacionado con fondos de formación mal empleados, pero cuando vio que no iba a ser fácil optó por potenciar AVE con varios empresarios amigos. Uno de ellos, Francisco Pons, interproveedor de frutos secos de Mercadona y socio de Federico Félix en la producción de helados Hacendado, fue elegido presidente el año que Camps llegó al poder. AVE y Camps congeniaron mientras las cosas fueron bien y compartieron quejas hacia el gobierno de Zapatero, pero con las vacas flacas, que también había que esquivar, Juan Roig exigió públicamente a los dos ejecutivos «medidas valientes, aunque sean impopulares y molestas», como las que él había tomado en su empresa. Cuando Camps dimitió y lo sucedió Alberto Fabra, el *lobby* que en aquel momento ya presidía Vicente Boluda aprovechó la bisoñez del hasta entonces alcalde de Castellón para influir en él más que en ningún predecesor, tanto en nombramientos, como en política económica.

El nombre Mercadona aparece en los llamados «papeles de Bárcenas» como donante al Partido Popular, algo que Juan Roig negó ante el juez cuando fue a declarar como testigo, aunque reconoció varios donativos a la fundación FAES, vinculada al PP, y a otra fundación impulsada por la ex vicepresidenta socialista María Teresa Fernández de la Vega. El dueño de Mercadona nunca ha mostrado una preferencia política. Cuando ha hablado en público ha sido para «reñir» a los gobernantes de uno y otro signo, y sus relaciones con los partidos han sido correctas. Como a los bancos y a las grandes empresas, es seguro que los partidos le habrán pedido donativos. De su doctrina económica cabe deducir cierta sintonía con el programa del PP, excepto en la liberalización de horarios comerciales, donde coincidiría con el PSOE o con CiU. Orgulloso de ser valenciano, Juan Roig presiona para que los políticos de casa defiendan los intereses de su comunidad en Madrid, por lo que también se le atribuyó cierta sintonía con un nacionalismo valenciano no independentista.

El gobierno de Francisco Camps concedió a Juan Roig en 2006 la Alta Distinción de la Generalitat, el reconocimiento institucional más'importante de la Comunidad Valenciana, al que después sumó la Gran Cruz de la Orden de Jaume I el Conqueridor. El homenaje lo llenó de orgullo, como lo emocionó un año después el doctorado honoris causa de la Universidad Politécnica de Valencia. El empresario amante de su tierra que siempre defendió que una compañía podía ser líder nacional teniendo su sede en Tavernes Blanques en lugar de en Madrid o Barcelona, no había tenido que irse fuera ni morirse para contar con el reconocimiento de sus paisanos. El homenaje era de las instituciones, pero recogían el sentir general hacia el gran empresario. Recompensado emocionalmente, Juan Roig trató en adelante de mostrar su gratitud mediante inversiones en proyectos altruistas.

Start-up Nation

Es frecuente que en las personas con mucho dinero aflore en su madurez la vena filantrópica y que creen fundaciones para ayudar a combatir el hambre, el cáncer o la contaminación que agujerea la capa de ozono. Juan Roig había creado junto con sus hermanos la Fundación Roig Alfonso para la integración sociolaboral de discapacitados intelectuales, pero más que por filantropía era para que el pequeño de la saga tuviera una ocupación y una vejez apacible una vez que sus padres se hicieron mayores. El mecenazgo al baloncesto, por mucho dinero que le haya costado, es más una pasión que una obra social, así que a Juan Roig no se le conocían actividades filantrópicas hasta que en los albores del siglo decidió, como le gusta decir, devolver a la sociedad lo que la sociedad le había dado a él. A su manera, como siempre, porque no creó ninguna fundación contra el hambre, el cáncer o la contaminación, sino que decidió prestar a los emprendedores una caña para pescar, para triunfar como él lo ha hecho, con el método Mercadona.

Fue un proceso paulatino, que se inició en 1999 con la creación de la Cátedra de Cultura Empresarial de la Universitat de València, a petición de un grupo de patronos, en la que Juan Roig participó como primer director académico y profesor del curso «Qui pot ser empresari?» (¿Quién puede ser empresario?) para potenciar el espíritu emprendedor.

Prosiguió con la creación de la Escuela de Empresarios (EDEM), una fundación que constituyó un grupo de miembros del *lobby* AVE, pero que en la práctica es otro de los satélites de Mercadona. No hay más que ir a una entrega de diplomas de cualquiera de los cursos que se imparten en EDEM para darse cuenta de que lo que allí se enseña gira en torno al modelo de Gestión de Calidad Total, la cultura del esfuerzo y la buena relación entre todos los componentes de la cadena. Mercadona aporta a EDEM profesorado y alumnos. Sus directivos y cargos intermedios y los de sus interproveedores completan su formación en cursos de la escuela. Los alumnos que no trabajan acaban con frecuencia en esas empresas. Juan Roig da clases como profesor agregado a tiempo parcial —sin cobrar por ello— de la asignatura Fundamentos para la Dirección de Empresas de primero de Grado ADE para Emprendedores, un grado oficial adscrito a la Universitat de València cuyo objetivo es la formación de empresarios. Su compañera titular de la asignatura es Helena Sáez, que procede de Mercadona. En las clases a los universitarios es donde Juan Roig se siente realizado como persona que ha triunfado y desea transmitir sus conocimientos a la siguiente generación. El presidente de Mercadona también imparte una de las sesiones del programa «15x15, 15 días con 15 empresarios líderes», el más conocido de EDEM, por el que han pasado sus hijas Carolina y Juana, las dos que han trabajado en la empresa familiar. La directora general de la escuela es Hortensia Roig y entre sus decenas de profesores no falta la melliza de esta, Carolina, coordinadora de la división de Análisis de Mercado de Mercadona, que imparte una clase titulada «Las claves del éxito en ventas» dentro del curso «El ABC de los superventas». Estudiar en EDEM no es barato, pero nadie con talento se queda fuera, ya que las empresas del patronato, entre ellas Atitlan, han creado becas para quienes no tienen recursos. La Escuela de Empresarios es un orgullo para Juan Roig y los amigos que lo acompañaron en su creación. Es el lugar donde descubrió cuánto podía hacer por quienes tienen talento aunque no tengan dinero.

Su siguiente iniciativa personal en este sentido fue la creación en 2008 de un fondo de capital semilla junto al Instituto Valenciano de Finanzas (IVF), Angels Capital, al que aportó 15 millones de euros frente a los 2 millones que puso el IVF. Lo gestionaba Atitlan. La iniciativa no era excepcional ni filantrópica en sentido estricto. Fondos como ese hay muchos, y su filosofía es hacer crecer al emprendedor para después vender la participación y obtener un beneficio. La diferencia con la mayoría de ellos es que Angels Capital siempre toma una participación mayoritaria, es decir, que Juan Roig no presta dinero sin asegurarse el control. Invirtió en siete proyectos, de tecnología, vino, deporte y medicina, entre otros, no siempre con buenos resultados. El último fue el del prestigioso joyero artesano Vicente Gracia, con el que creó una empresa para potenciar su proyección internacional. Sin embargo, el socio de Juan Roig en Vicente Gracia International Jewelery ya no es el joyero en solitario, es Juana Roig Herrero. La pequeña de la familia dejó Mercadona en 2013 y entró como socia mayoritaria en la joyería para emprender su primera aventura como empresaria.

Coincidiendo con el distanciamiento de su yerno Roco, Juan Roig avanzó en su reflexión sobre qué podía hacer él por España y puso en marcha el proyecto «Lanzadera», una incubadora de empresas incipientes que, si bien tampoco era el colmo de la originalidad, suponía un paso importante en su propósito de ayudar a quien lo merece. A diferencia de la mayoría de las incubadoras, Lanzadera no invierte en las empresas que acoge en su sede durante casi un año, sino que les presta hasta 200.000 euros a cada una para que empiecen a funcionar. Ese dinero, 3 millones de euros en la primera edición y cuatro en la segunda, lo pone Juan Roig de su bolsillo a un interés bajo y con la esperanza de recuperarlo cuando la compañía se consolide, pero sin garantías personales ni hipotecas. Si la empresa fracasa, el préstamo se pierde. Otro millón se gasta en la sede y el personal con el que apadrina a los emprendedores. Juan Roig fusionó Angels Capital con Lanzadera, creando así un solo grupo de apoyo al emprendimiento dirigido por un ejecutivo procedente de Atitlan, Jaime Esteban, y otro de Mercadona, Javier Jiménez.

Uno de los libros de los que Juan Roig habla últimamente es *Start-up Nation*, de Dan Senor y Saul Singer, publicado en 2009 en Estados Unidos y en 2012 en España. Subtitulada «La historia del milagro económico de Israel», la obra explica cómo un país joven con 8 millones de habitantes en un territorio con una superficie equivalente al de la Comunidad Valenciana, sin recursos naturales y en permanente estado prebélico al estar rodeado de enemigos, se ha convertido en los últimos años en un estado próspero, con una tasa de desempleo estable que ronda el 6 por ciento. Como revela el título, la clave es su alto número de emprendedores, ya que tiene más *start-ups* (empresas incipientes) que países como Japón y Reino Unido, y es el tercero con más empresas en el Nasdaq, tras Estados Unidos y China. El presidente de Mercadona mira a Israel y sueña con que a este lado del Mediterráneo la Comunidad Valenciana y España avancen por el mismo camino. A eso responden el proyecto «Lanzadera», Angels Capital y EDEM. Es obvio que las diferencias entre israelíes y españoles son grandes. Senor y Singer señalan como clave del éxito allí la disciplina militar de sus habitantes, producto de la mili obligatoria que dura tres años para los varones y dos para las mujeres. Una disciplina que Juan Roig trata de implantar en su empresa con gente que no ha hecho el servicio militar. Además, Israel se creó hace 65 años con inmigrantes, y el inmigrante que no es emprendedor por naturaleza lo es por necesidad. El emprendimiento forma parte de su cultura. El modelo no es completamente trasladable, pero Juan Roig sueña con hacer de su tierra una nación de emprendedores.

El segundo hombre más rico de España está entusiasmado con Lanzadera. Su última iniciativa, de momento, es trasladar todo este ecosistema de apoyo al emprendimiento a la Marina Real Juan Carlos I de Valencia, una zona junto al puerto que fue sede de la Copa del América de vela en 2007. Las instalaciones, vacías y degradadas por el paso del tiempo, habían sido ofrecidas a instituciones y empresas académicas, tecnológicas y culturales sin ningún éxito, ya que necesitan una rehabilitación muy costosa. Juan Roig ha propuesto llevar allí las sedes de EDEM y de Lanzadera, con una inversión mínima de 15 millones de euros, todo un regalo para el consorcio público que administra la Marina Real, que de repente ha visto despertarse el interés de otras empresas por implantarse en esa zona.

Mercadona patrocina

Que Mercadona ponga su marca en algo que no sean los supermercados es noticia. Juan Roig es desde hace tiempo un mecenas importante en el mundo académico, cultural, deportivo y de los medios de comunicación, pero sus apoyos no son siempre públicos. Esto es especialmente acusado en Valencia, donde quedan pocos lugares a los que ir a pedir dinero tras la debacle de las cajas de ahorros. Quedan los patrocinadores privados, que suelen ser los grandes bancos, Telefónica y algunas empresas locales, como Aguas de Valencia, Divina Pastora, Consum y Ribera Salud. Y Mercadona, aunque a veces no aparezca en la lista de patrocinadores porque prefiere pasar inadvertida, quizá para que no se forme cola a sus puertas.

Mercadona no se anuncia, no pone su logotipo en otro sitio que no sean sus supermercados y como patrono de algunas fundaciones educativas, pero la compañía tiene mucho dinero y el dinero es poder. El motivo de tanta reserva es que a Juan Roig nunca le ha gustado que la imagen de Mercadona se vea mezclada en algo que no sean las tiendas, a tal punto que todas las iniciativas filantrópicas las hace él a título personal, no su empresa, a pesar de que a Mercadona le vendría muy bien aglutinarlas en una fundación como las que tienen otras grandes compañías para reforzar su reputación corporativa.

Sin embargo, en abril de 2010 Mercadona hizo una excepción y plasmó su nombre como patrocinador del Premio Rey Jaime I de

Emprendedores, una categoría de estos prestigiosos galardones impulsados desde hace más de veinticinco años por la Generalitat a través de la Fundación Valenciana de Estudios Avanzados. En el momento en que grandes empresas nacionales retiraban o reducían el patrocinio a estos premios, Mercadona, EDEM y el *lobby* AVE, es decir, Juan Roig, proponían y conseguían crear una categoría bajo su control absoluto, merced a los 400.000 euros aportados cada año, de los cuales 100.000 se destinan al premio. En el cartel, las letras verdes de Mercadona y su cesta característica figuraban en primer lugar entre los patrocinadores. Es tradicional que la veintena de premios Nobel extranjeros que forma parte de los jurados de los premios Rey Jaime I firme cada año una declaración sobre un problema concreto, sea la economía, el medio ambiente, la educación o la investigación. Por si alguien tenía alguna duda sobre la influencia de Juan Roig, la primera edición en la que Mercadona fue patrocinadora de los mismos, los veintidós Nobel que estaban en los jurados mostraron su preocupación «por el creciente desinterés por la cultura del esfuerzo». En la entrega de los premios, Juan Roig pronunció el discurso en nombre de los financiadores y dijo que los españoles tenían que pasar «de la cultura del maná a la cultura del esfuerzo y del trabajo».

En 2013, Roig sorprendió con la incorporación al jurado de los premios Jaime I de Risto Mejide, popular rostro televisivo a quien había contratado como especialista en marketing a través de una fundación para divulgar la cultura del esfuerzo. En la entrega de premios, el publicista se sentó junto a Carolina y Hortensia Roig y departió amigablemente con toda la familia Roig Herrero en el cóctel posterior. Mejide ha hecho carrera en los últimos tiempos como gurú de emprendedores, con varios libros de autoayuda que predican la heterodoxia, como *No busques trabajo*, y es autor de una frase que define su forma de actuar en público y que encaja como un guante a Juan Roig: «Si cuando hablas nadie se molesta, eso es que no has dicho absolutamente nada».

Homenaje a su madre

La organización para la que Risto Mejide fue contratado es la Fundación Trinidad Alfonso Mocholí, creada por Juan Roig en 2012 con el nombre de su madre, a la que atribuye la máxima de que primero tienes que dar para después recibir, que él completo con «exigir» al comprobar que la gratitud era una virtud menos extendida de lo que creía la buena de Trini.

Con esta iniciativa, Juan Roig fomenta la cultura del esfuerzo a través del deporte, especialmente de las carreras de media y larga distancia, donde no caben atajos para alcanzar el éxito. La fundación dirigida por Elena Tejedor, procedente del departamento de comunicación de Mercadona, ha creado la marca Valencia Ciudad del Running para promocionar las carreras de la capital del Turia, maratón, medio maratón y 10K, de las que se ha convertido en la principal patrocinadora. Al mismo tiempo, ejerce de benefactor en su tierra al apoyar a los deportistas nacidos o que han desarrollado la mayor parte de su carrera en la Comunidad Valenciana mediante un programa de becas a sesenta deportistas de todos los niveles dotado con 300.000 euros anuales. La fundación ha alcanzado gran notoriedad en Valencia gracias al patrocinio de las carreras. Una notoriedad que podría haberse llevado Mercadona, igual que la tienen las grandes patrocinadoras del programa ADO de apoyo al equipo olímpico español, entre ellas El Corte Inglés, Telefónica y La Caixa, pero que Juan Roig decidió reservar para sí y para su madre.

La satisfacción que le dan las actividades de mecenazgo lleva a pensar que EDEM, Lanzadera o la Fundación Trinidad Alfonso son solo el principio de una etapa de la vida que Juan Roig llenará de iniciativas altruistas. A ellas se ha sumado su esposa, quien ha creado la Fundación Hortensia Herrero. Tienen dinero para eso y mucho más, como se verá en el siguiente capítulo.

5

El capital

Juan Roig nunca ha sido pobre. El presidente de Mercadona nació en una familia acomodada del cinturón rural de Valencia, acomodada pero no adinerada, lo que en aquellos años de la posguerra era vivir por encima de las posibilidades de la mayoría. Juan Roig nunca ha sido pobre y nunca ha sido más rico que ahora. La revista *Forbes* lo situó en octubre de 2013 como la segunda persona más rica de España, por detrás del fundador de Inditex, Amancio Ortega, con una fortuna de 5.800 millones de euros. La cifra hay que ponerla en cuestión, pues varía de un año a otro como si Mercadona cotizase en bolsa. La Bolsa de Valores permite calcular cada día la fortuna de Amancio Ortega, Emilio Botín o Florentino Pérez, aunque tengan una parte de sus bienes fuera de los mercados financieros. Calcular el valor Mercadona es más difícil. Tampoco es que importe la cifra, una vez sobrepasados los nueve ceros. Lo relevante es que Juan Roig es inmensamente rico y que es el primer español en la lista *Forbes* que no tiene una empresa cotizada, factor que muchas veces dispara la valoración de un patrimonio personal. El siguiente en la lista cuyo patrimonio no cotiza, a gran distancia, es el fundador de Mango, Isak Andic, y por detrás, la duquesa de Alba.

Juan Roig intenta ser el mismo que cuando no era la segunda fortuna de España, objetivo complicado si los demás son los primeros que guardan las distancias con un señor que amasa 5.800 millones de euros. Su familia subió un escalón en la sociedad valenciana el día que cambió de comisión fallera y pasó de La Bicicleta a Convento Jerusalén y él se codea con los grandes empresarios de España, entre los que ha visto a algunos nuevos ricos comportarse como tales en el peor sentido, perdiendo las formas con quienes no están tan arriba. Juan Roig no quiere ser eso. Desde su altivez mal disimulada, se esfuerza por relacionarse de tú a tú con sus amigos y conocidos, que sin embargo no pueden pasar por alto el poderío de su interlocutor. Cuando hay confianza, no se priva de «ayudar» al prójimo diciéndole lo que tiene que hacer, que no es otra cosa que seguir el ejemplo de Mercadona. Debido a su carácter reservado, no tiene la espontaneidad y la gracia de su hermano Paco, por lo que con frecuencia rompe el hielo con un gesto heredado de su padre, la palmadita en la cara, un cachete que es cariñoso pero desigual, un «yo lo puedo hacer y tú no». El presidente de Mercadona ya no baja en chándal los domingos a por el periódico, por cuestión de imagen, pero continúa yendo casi todas las semanas a la reunión de hombres de la falla, donde cena y echa una partida de *truc* —juego de naipes— con sus amigos, algunos de ellos interproveedores de la empresa. La falla y la partida de pádel los fines de semana que puede, con Paco Raga y otros amigos, son sus distracciones habituales. Urbanita desde que su familia se trasladó a un piso en el céntrico paseo de Ruzafa, Juan Roig no se ha ido a un chalet con parcela, valla de seguridad, guardián y perro. Emancipadas sus cuatro hijas, vive con su esposa en un apartamento de Valencia que acaba de estrenar junto al jardín del Turia, enfrente del que tenía.

La fortuna de Juan Roig se fraguó a partir de 1981 y cobró importancia una vez adquirida la mayoría del capital de Mercadona a sus hermanas, momento en el que puso su enriquecimiento personal como propietario a la cola de las prioridades del modelo de Gestión de Calidad Total. Cuando un empresario dice que lo prioritario es satisfacer a los clientes, cuidar a los trabajadores, llevarse bien con los proveedores y contribuir a las necesidades de la sociedad antes que ganar dinero, cualquiera piensa: «Este quiere venderme algo». Y así es. Juan Roig quiere vender leche, naranjas y detergente, como cualquier empresario de la distribución, pero, sobre todo, quiere que le compremos el modelo de negocio en el que cree ciegamente. Quiere ser el tendero de confianza al que no le preocupa el beneficio, sino el cliente, que no es la manera más rápida pero sí la más segura de hacer que el beneficio llegue. Cuando los beneficios llegaron, Mercadona reinvirtió la mayor parte en su expansión y en reforzar sus fondos propios, como deben hacer, aunque no siempre hacen, los empresarios que quieren crecer. Al entrar la familia Gómez en el capital y en el consejo de administración de Mercadona a cambio de ceder a Roig su cadena de supermercados en Andalucía, este pactó con Rafael Gómez que cobraría un dividendo mínimo. Desde entonces, la compañía distribuye cada año el 10 por ciento de su beneficio bruto, que se reparten los cuatro socios en función de la participación de cada uno.

¿Y cuál es esa participación? A finales de 2013, Juan Roig ostentaba el 50,66 por ciento del capital y su esposa, Hortensia Herrero, que es la vicepresidenta, el 27,71 por ciento. El accionariado se completa con Fernando Roig, con el 9 por ciento, y la familia Gómez, que tiene el 7,3 por ciento. El resto es autocartera, más del 5 por ciento en acciones propias que Mercadona compró en diferentes momentos a Fernando Roig. La autocartera no entra en el reparto de dividendos, por lo que cada uno recibe un poco más de tarta del porcentaje que tiene. Los cuatro accionistas se repartieron unos dividendos de 26,7 millones de euros en 2009, 27 millones en 2010, 57 millones en 2011 y 90 millones en 2012. Es decir, obtuvieron 200 millones de euros en cuatro años, de los que 157 fueron para el matrimonio formado por Juan Roig y Hortensia Herrero o, más bien, para sus sociedades patrimoniales, que en el caso del presidente de la compañía constituyen un curioso entramado en el que el máximo accionista de Mercadona resulta serlo a través de un interproveedor.

Juan Roig

Consejero delegado desde que se hizo cargo de la dirección de Mercadona en 1981, Juan Roig sustituyó en la presidencia a su hermano Fernando en diciembre de 1990, cuando compró las participaciones de sus hermanas mayores y se hizo, junto con su esposa, con la mayoría accionarial de la compañía. Aquel nuevo consejo de administración lo componían, además de Juan Roig como presidente y consejero delegado, Hortensia Herrero, Fernando Roig, Elena Nogueroles —esposa de Fernando— y dos ejecutivos que lo habían acompañado desde el principio, Manuel de Juan y Manuel Llorente. Este último dejó la empresa poco después y, tras probar fortuna en negocios de congelados y en el sector azulejero, fue, sucesivamente, consejero delegado del Valencia CF por voluntad de Fernando Roig, presidente del Valencia Basket Club por designación de Juan y presidente del Valencia CF a petición de Bancaja. En 1990, las cuatro hijas del matrimonio Roig-Herrero aún eran demasiado jóvenes para contar en la compañía.

La participación de Juan Roig en Mercadona se estructura a través de una serie de sociedades que parecen indicar que cuando compró la parte de sus hermanas utilizó la primera empresa que tenía a mano, que no era otra que una filial de Forns Valencians (Forvasa), entonces proveedora y ahora interproveedora de pan precocinado y productos de bollería del líder de la distribución en España. Así, el propietario directo del 50,66 por ciento de Mercadona es la sociedad instrumental Finop, que a su vez pertenece en su totalidad a Forvasa, de manera que esta interproveedora es la principal accionista de su cliente. Forvasa, que también es máxima accionista del Valencia Basket Club, factura a Mercadona más de 75 millones de euros al año en productos de horno y en su consejo de administración está toda la familia Roig-Herrero, dado su peso en el patrimonio familiar. El 100 por ciento de Forvasa es propiedad de Inmoalameda, sociedad unipersonal de Juan Roig, cabecera de su grupo patrimonial. Inmoalameda tenía en 2011 un patrimonio neto de 2.856 millones de euros.

La estructura empresarial hace que los dividendos de Mercadona no vayan directamente al bolsillo de Juan Roig, sino a otras sociedades desde las que él promueve iniciativas de apoyo a emprendedores, como «Lanzadera» y Angels Capital, o sostiene al Valencia Basket Club. Lo que sí cobra Roig directamente son los dividendos repartidos por Inmoalameda, 5 millones de euros en 2011. A ellos hay que sumar sus retribuciones profesionales por todos los conceptos, que ese mismo año ascendieron a 3,8 millones de euros brutos. El matiz de que son ingresos brutos es importante, pues para una cantidad tan alta el pellizco de Hacienda es considerable para este residente en la Comunidad Valenciana, una de las que tiene el tipo marginal más alto del Impuesto sobre la Renta, el 54 por ciento en 2014.

A Juan Roig apenas se le conocen inversiones importantes fuera de Mercadona y sus interproveedores. Es costumbre de la gente con dinero entrar en negocios diferentes del que les ha dado la fortuna, sea por diversificar, por capricho o por subirse al carro de un sector que se ha puesto de moda. Por alguno de estos motivos, Juan Roig decidió a finales de 1988 sumarse, a través de Mercadona, al proyecto de Antena 3 TV, que optaba a uno de los tres canales privados de televisión que el gobierno de Felipe González iba a adjudicar por concurso. El conde de Godó, editor de *La Vanguardia*, embarcó a numerosos accionistas minoritarios —nadie podía sobrepasar el 25 por ciento del capital—, entre ellos, una docena de periódicos regionales; algunos profesionales de la información procedentes de Antena 3 Radio, como Manuel Martín Ferrand y Luis Ángel de la Viuda —los que años después fueron asesores de comunicación de Mercadona—; bancos y fondos de inversión extranjeros, así como empresarios y compañías ajenos al mundo de la comunicación tales como Lladró, Juan Abelló, Herberto Gut (Prosegur), Abengoa, Zara y Mercadona. La empresa de los hermanos Roig Alfonso, que Juan dirigía pero en la que aún no tenía la mayoría, adquirió un 6 por ciento de Antena 3 TV por 1.200 millones de pesetas (7,2 millones de euros) en dos ampliaciones de capital. La cadena se adjudicó uno de los tres canales en 1989. Tres años después, Antonio Asensio (Grupo Zeta), con el apoyo del Banesto de Mario Conde y del magnate de origen australiano Rupert Murdoch, compraron la cadena a Godó y a la mayoría de los pequeños accionistas. A Juan Roig, la oferta de Banesto le llegó en el mejor momento, cuando peor lo estaba pasando su empresa, y, además, era irrechazable: 2.400 millones de pesetas, el doble de lo que le había costado. Mario Conde necesitaba asegurarse una participación suficiente, junto con la de Asensio, para vencer la resistencia de Godó y los profesionales de Antena 3 TV.

Lo de poner dinero sin mandar nunca le gustó a Juan Roig. Lo de Antena 3 TV salió bien sin ningún mérito por su parte, pero podía haber salido mal sin tener él la culpa. No tenía el control, como no lo tuvo poco después en el Valencia CF, que dirigía su hermano Paco con Manuel Llorente de Pepito Grillo. Con el dinero que se había gastado para controlar Mercadona, no tenía sentido invertir en proyectos ajenos para, en el mejor de los casos, esperar un pelotazo que cada vez le hacía menos falta. Después de salir del Valencia CF, Juan Roig se dedicó a invertir en el negocio inmobiliario relacionado con Mercadona, en interproveedores que necesitaban financiación, en el Valencia Basket Club y, en los últimos años, en iniciativas de apoyo a emprendedores como «Lanzadera» y Angels Capital.

Hizo una excepción, más por ayudar que por obtener beneficios, para paliar las consecuencias del desmoronamiento del sistema financiero e institucional valenciano. El empresario más poderoso de su región no fue un espectador cualquiera de la desaparición de Bancaja, CAM y Banco de Valencia, y la quiebra en la que estuvo a punto de incurrir la Generalitat Valenciana a finales de 2011. En diciembre de ese año, el nuevo presidente del ejecutivo autonómico, Alberto Fabra, convocó a los principales empresarios de la Comunitat y les rogó que suscribiesen los denominados «bonos patrióticos», ya que la emisión de 1.800 millones de euros que había lanzado la Generalitat iba camino de un estrepitoso fracaso y el dinero era necesario para pagar las nóminas y amortizar deuda con bancos extranjeros. La Generalitat estaba al borde de la quiebra. No fue Juan Roig personalmente sino Mercadona la que acudió a la llamada de auxilio y compró bonos por 6 millones de euros, a un año y con un interés del 5 por ciento. Esa ayuda y la de otros empresarios no fue suficiente y la emisión se cerró con solo 1.058 millones suscritos. Por este motivo, las agencias de *rating* rebajaron la nota de la deuda valenciana a la calificación de bono «basura». A pesar de ello, la operación apenas tenía riesgo para Mercadona, ya que el Estado no iba a dejar que una comunidad autónoma hundiese definitivamente la imagen de España con un impago. Efectivamente, muy poco después, la Generalitat Valenciana retrasó varios días un vencimiento de deuda de 123 millones de Deutsche Bank, que no acabó en *default* (impago declarado) gracias al rescate del gobierno de Mariano Rajoy, recién elegido presidente. Un año más tarde, en diciembre de 2012, Mercadona cobró los 6 millones del bono y los 300.000 euros de intereses.

Peor le fue a Juan Roig en Bankia, donde, esta vez personalmente, acudió a la llamada de socorro que Rodrigo Rato lanzó a la

Asociación Valenciana de Empresarios para que los grandes patronos suscribieran acciones de la nueva entidad en su salida a bolsa. Fue en julio de 2011. Bankia era el resultado de la fusión de Caja Madrid, Bancaja y cinco cajas de ahorros más pequeñas, sentida en el empresariado y en gran parte de la sociedad valenciana como una pérdida irreparable para la economía local. Fue una operación impuesta por el Banco de España con el beneplácito de Zapatero y Rajoy que sentó muy mal en la cúpula de AVE. El nuevo banco nacía con la promesa, plasmada en los estatutos, de respetar el peso valenciano en los órganos de poder, cosa que no hizo el equipo de Rodrigo Rato proveniente de Caja Madrid, con decisiones como arrinconar a sus directivos, filtrar todo tipo de datos negativos sobre la herencia recibida de Bancaja y dejar caer al Banco de Valencia. La cúpula de AVE mostró su enfado a Rato y este pidió ayuda para la inminente salida a bolsa, una operación considerada de Estado ya que era el primer banco rescatado en salir a cotizar. Buena parte de los bancos y fondos internacionales a los que iba dirigida la oferta no se fiaron, por lo que la mayoría de las acciones se vendieron a unos 360.000 clientes de las antiguas cajas, muchos de ellos pequeños ahorradores sin cultura financiera. La calificada como «gran estafa» captó 3.092 millones de euros, que los inversores perdieron casi en su totalidad cuando Bankia fue nacionalizada diez meses después. Juan Roig fue una de las personas que más pusieron a título individual, más de un millón de euros, probablemente 2 millones, aunque el presidente de Mercadona nunca hizo pública la cuantía de esa inversión. Fueran uno, dos o tres, el caso es que los perdió.

El respaldo a Rodrigo Rato sirvió a Juan Roig, seis meses después, para imponer su candidato a la vicepresidencia de Bankia cuando el puesto quedó vacante tras la dimisión de José Luis Olivas. La plaza correspondía a la cuota valenciana y el *lobby* AVE se movió para evitar que el ex ministro colocara a un valenciano de su cuerda, Juan Costa. Vicente Boluda, presidente de AVE, reunió una noche en su casa a Rodrigo Rato, Juan Roig y varios miembros de las cúpulas del banco y del *lobby* empresarial, incluido Francisco Pons, el elegido para ocupar el puesto de Olivas. Y Bankia nombró vicepresidente a Pons, en la mayor demostración de fuerza de AVE en sus treinta años de historia. Paco Pons había sido presidente de AVE entre 2003 y 2010 y es gran amigo de Juan Roig, además de interproveedor de frutos secos y helados de su cadena de establecimientos. Curiosamente, Roig y Pons habían sido competidores durante dos décadas como máximos ejecutivos de Mercadona y de la cooperativa de supermercados Consum, respectivamente. Consum había firmado una alianza en 1990 con la cooperativa vasca Eroski que no llegó a fusión, ya que la empresa valenciana decidió romperla unilateralmente en 2004. Para entonces, Pons ya había dejado Consum para dedicarse a su empresa de frutos secos, Importaco, y había estrechado lazos con Juan Roig como presidente de AVE y, poco después, como interproveedor de Mercadona.

La mala experiencia de su inversión en Bankia no disuadió a Roig de apoyar, en marzo de 2012, la ampliación de capital del Banco Sabadell, a petición de su presidente, Josep Oliu, quien había hecho una ronda por la Comunidad Valenciana para convencer a los inversores locales de su voluntad de hacer más valenciano el capital. La ampliación también se presentaba difícil, dado el momento económico de España, y a ella también se sumaron de forma más o menos forzada clientes particulares y empresas a las que se les mostraba la renovación de una póliza en una mano y la suscripción «voluntaria» de acciones en la otra. El Sabadell acababa de adjudicarse el alicantino Banco CAM —antigua Caja de Ahorros del Mediterráneo— por un euro, además de cuantiosas ayudas y garantías públicas. Entre los representantes del grupo Sabadell en Valencia estaba Manuel Palma, consejero de su filial Banco Urquijo, miembro de AVE y presidente de EDEM. Oliu pidió el respaldo del empresariado valenciano y Juan Roig arrimó el hombro con 2 millones de euros, que le otorgaron el 0,06 por ciento del capital.

Aparte de estas aventuras financieras, las sociedades patrimoniales de Juan Roig emplean buena parte de los réditos que obtienen de Mercadona y Forvasa en terrenos y locales donde se instalan supermercados. Empresa, finanzas e inmobiliario: las tres patas de toda gestión patrimonial. En 2011, el valor de sus inmuebles ascendía a 1.558 millones de euros. Roig desarrolla la actividad inmobiliaria junto a su esposa, Hortensia, segunda accionista de Mercadona.

Hortensia Herrero

La esposa de Juan Roig, economista como él, nunca ha tenido un cargo ejecutivo en Mercadona y su papel como vicepresidenta ha sido muy discreto de cara al exterior, bastante más alejada de los focos que el presidente. Solo en los últimos años ha aparecido junto a su esposo en algunas inauguraciones de supermercados o de centros logísticos. Donde sí se deja ver es en actos sociales protagonizados por Juan Roig o a los que asiste con él y, lógicamente, en los actos que desde finales de 2011 organiza ella misma a través de la Fundación Hortensia Herrero. Desde este segundo plano, su contribución real al proyecto de Mercadona es una incógnita, pues aunque el consejo de administración de la empresa se reúne solo una vez al año, alguna decisión estratégica puede haberse consensuado alrededor de la mesa de su cocina antes de pasar por la del comité de dirección, donde nunca ha habido nadie tan capaz de decir a Juan Roig lo que piensa como su esposa. Para un hombre tan solitario en la toma de decisiones, sobre todo en la última etapa, tener en casa a una economista de confianza que no teme contrariarlo y que además es la segunda accionista significa contar con un contrapeso que a lo mejor le ha faltado en la empresa. Hasta qué punto algunas cosas que hoy vemos en Mercadona no surgieron del ingenio de él sino del de ella es algo que solo la pareja conoce.

De Hortensia Herrero hay pocas fotos públicas, casi todas de los últimos años, una vez iniciada su actividad de mecenazgo a través de la fundación que lleva su nombre, así como de algunas inauguraciones de centros logísticos o supermercados importantes desde el punto de vista de la estrategia de Mercadona a los que ha asistido como vicepresidenta. De su vida social, únicamente se conoce el desafortunado reportaje en *Sociedad* de la familia «del hermano de Paco Roig» y el protagonizado por su hija pequeña, Juana, con motivo de su boda en la revista *Tendencias Novias*, en verano de 2013. Tan inadvertida ha pasado Hortensia Herrero que ni aparece en la lista *Forbes*, cuando su patrimonio, solo en acciones de Mercadona, es más de la mitad que el de Juan Roig. Quizá es porque la revista computa la hacienda de la unidad familiar, pero si así fuera debería figurar «Juan Roig y familia», como ocurre con los March o Isak Andic. Sin embargo, el dueño de Mercadona aparece solo. En la lista publicada en octubre de 2013, la vicepresidenta y segunda accionista de Mercadona debería estar, al menos, en noveno lugar, detrás de la duquesa de Alba. Hortensia Herrero participa en Mercadona a través de la sociedad Herrecha Inversiones, constituida en 2008 para albergar su 27,71 por ciento en la empresa familiar. La mujer más rica de la Comunidad Valenciana destina parte de los dividendos que obtiene a inversiones inmobiliarias. Otra parte la dedica a fines altruistas.

La Fundación Hortensia Herrero, creada a finales de 2011, «fomenta, promociona, impulsa, desarrolla, protege y apoya la educación, la investigación científica y tecnológica, la cultura, el arte y el deporte», según consta en la declaración de principios de su presidenta. Su actividad filantrópica más relevante ha sido la restauración de iglesias, con un presupuesto anual de unos 2 millones de euros, entre ellas la de San Nicolás de Bari y San Pedro Mártir de Valencia, donde se han casado algunas de sus hijas. Aficionada a la pintura, tiene entre sus planes la creación de una pinacoteca con la colección privada que ya posee y que prevé incrementar en los próximos años.

Fernando Roig

El tercer accionista de Mercadona fue presidente de la compañía entre 1981 y 1990, con su hermano pequeño como consejero delegado, hasta que se produjo la opa de Juan Roig a sus hermanas y pasó a ocupar el puesto de vocal en el consejo de administración. Fernando había asumido en 1977 el mando de Pamesa Cerámica, compañía que convirtió en puntera en el sector azulejero castellonense. Con la criba empresarial de la última crisis, Pamesa Cerámica ha quedado como la segunda compañía azulejera española, solo superada por el gigante Porcelanosa. Fernando Roig tiene, de forma personal, participación en Pamesa Brasil. No obstante, Pamesa no fue su única pasión. Desde mediados de los noventa le sobraron tiempo y recursos para hacer algunas incursiones en medios de comunicación (es accionista de la editora de *El Mundo* en Valencia), energías renovables y deporte de élite, inversiones estas últimas que le aportaron más amarguras que satisfacciones.

En lo que respecta al negocio industrial, Fernando Roig estuvo a punto de vender el grupo Pamesa al fondo de inversión Valanza, propiedad del BBVA, por 300 millones de euros. Ocurrió en verano de 2007. Estuvo muy a punto, pero cuando solo faltaba estampar la firma, al empresario valenciano le salió la vena paterna y se presentó en la sede del BBVA en Madrid a exigir de una manera poco elegante el chocolate del loro de la venta. Así acabó la que habría sido la operación corporativa del año en la Comunidad Valenciana, todo un pelotazo semanas antes de que se revelaran los primeros síntomas de la crisis inmobiliaria. Cuántas veces habrán pensado los gestores del fondo del BBVA de la que se libraron, viendo el hundimiento del sector azulejero, tan ligado al inmobiliario. Pamesa fue de las que mejor sobrevivió a la crisis gracias al buen hacer de Fernando Roig, pero cuesta pensar que habría sido lo mismo en manos de un fondo de inversión.

Juan y Fernando Roig salieron escaldados de su aventura en el Valencia CF, pero lograron escapar sin pérdidas ni menoscabo de su imagen. Los dos habían apostado a mediados de los años ochenta por el Valencia Basket Club, que pasó a denominarse Pamesa Valencia, aunque lo patrocinaban los dos hermanos. Juan Roig acabó haciéndose con la mayoría. Al mismo tiempo, Fernando se hizo cargo en 1997 del Villarreal Club de Fútbol, equipo del municipio castellonense de 50.000 habitantes cercano a Almazora, donde Pamesa tiene la fábrica. En solo dos años, el Villarreal ascendió a Primera División y seis temporadas más tarde disputó la Semifinal de la Champions League. Fernando Roig prestó al club más de 100 millones de euros para conseguir esa proeza, dinero que salió del patrimonio donde tenía mezclados los créditos y los dividendos de todas sus empresas. En 2011, el empresario se da cuenta de que el fútbol puede arrastrar al fango todos sus negocios y realiza una arriesgada apuesta que le sale mal. En primer lugar, realiza una ampliación de capital de 138 millones de euros en el Villarreal que tiene que sufragar prácticamente en solitario, a cambio de lo que el club le debía. La situación patrimonial del Villarreal se saneaba, pero la de su presidente no. La segunda parte era la apuesta por un equipo de fútbol formado desde la cantera en lugar de con el talonario. Fue otro fiasco, y ahí tuvo algo que ver la mala suerte. La primera temporada, la más complicada, estaba casi solventada cuando un gol —del Valencia— en el último minuto del penúltimo partido dejó al Villarreal con riesgo de descenso a Segunda División. Tenía que darse en la última jornada una combinación de resultados difícil, una carambola, que contra todo pronóstico se produjo en los últimos minutos. El Villarreal bajó a Segunda División, después de doce años, y arrastró a su equipo filial a Segunda B. La imagen de la derrota fue la de Fernando Roig llorando en el césped del estadio de El Madrigal abrazado por su hermano Juan. Era el 13 de mayo de 2012. Nueve días después, Fernando Roig, que tenía el 11,43 por ciento de Mercadona, vendió un 2,43 por ciento de sus acciones por 71,6 millones de euros.

El comprador de ese paquete accionarial fue Mercadona. En realidad, Fernando se lo ofreció a Juan, pero los estatutos de la sociedad otorgan un derecho de adquisición preferente a la empresa y al resto de los accionistas en caso de que uno de los miembros quiera vender. La solución adoptada era la menos perjudicial para el vendedor, ya que su pérdida de peso en el accionariado y en el reparto de dividendos fue menor que si Juan Roig u otro accionista se hubiese quedado ese 2,43 por ciento. Mercadona pagó al contado 71,6 millones a Fernando por sus acciones y, además, le concedió un préstamo de 250 millones garantizado por el 9 por ciento que le queda en la compañía. Con ese dinero pudo cancelar el grueso de sus préstamos bancarios, desligar el Villarreal de Pamesa Cerámica y reordenar su grupo azulejero. También lo empleó para reiniciar el proyecto del Villarreal, que un año después volvió a Primera División.

Familia Gómez

A la familia Gómez le tocó la lotería en 1997 en forma de acuerdo de compraventa de su cadena de supermercados. La historia de Almacenes Gómez Serrano (apellidos del fundador) discurre paralela a la de Mercadona pero en Andalucía. Rafael Gómez Gómez, hijo del fundador, se hizo cargo de la empresa en 1981 al morir su padre, representante comercial que años antes había abierto un *cash & carry* en Antequera (Málaga), que tenía gran arraigo en la zona. Médico de profesión, Gómez dejó la bata blanca y se dedicó a hacer crecer la empresa familiar en un momento decisivo para el sector de la distribución por la irrupción de las grandes superficies francesas. Abrió nuevos *cash & carry*, puso en marcha la cadena de franquicias Tandy y entró en el segmento de los supermercados con Multimás y en el de las tiendas descuento con Patro, «el súper barato». Cuando en 1995 Rafael Gómez explicaba el éxito de su empresa en una entrevista publicada por Aecoc, decía lo siguiente: «Al tomar la decisión de transformarnos en detallistas visitamos muchas empresas y nos fijamos de forma particular en la que para nosotros sigue siendo la modélica en el sector de los supermercados: Mercadona. Ese fue el modelo a imitar, y en esa dirección nos hemos movido». Y Rafael Gómez decía otras cosas como: «En nosotros, el ahorro de costes ha sido siempre una obsesión». Dos años después se producía la compra y la fusión. Almacenes Gómez Serrano tenía entonces 102 establecimientos de diferentes formatos en las provincias de Málaga, Granada, Córdoba, Jaén y Sevilla. La empresa de Juan Roig contaba con 220 supermercados.

La familia Gómez obtuvo a cambio un 7,3 por ciento de Mercadona y el compromiso de un reparto del dividendo del 10 por ciento de los beneficios, que desde entonces cobran proporcionalmente todos los accionistas. En 2012 percibió unos 7 millones de euros brutos. Rafael Gómez continúa viviendo en Antequera, donde acostumbra jugar a golf y lleva una vida discreta y placentera, ya que en Mercadona no ostenta cargos ejecutivos. Tiene participaciones en negocios inmobiliarios y de alimentación que no gestiona y participa, como representante de Mercadona, en el Instituto Internacional San Telmo, fundación con sede en Sevilla dedicada a la formación empresarial. Concretamente, es miembro del consejo asesor del Departamento de Empresas de la Cadena Alimentaria, compuesto por representantes de grandes compañías del sector de la alimentación y la distribución.

Las herederas

Mercadona es la única gran empresa española y, posiblemente, europea con un consejo de administración constituido en su mayoría por mujeres. En un informe de octubre de 2013 de la Comisión Europea sobre el peso femenino en la toma de decisiones en las compañías se afirmaba que la presencia de las mujeres en los consejos de administración de las principales empresas cotizadas en bolsa de la Unión Europea era del 16,6 por ciento, frente al 15,8 por ciento de un año antes. En Mercadona representan el 62,5 por ciento; cinco de los ocho asientos están ocupados por féminas, por decisión de Juan Roig. Habrá quien diga que el único mérito del presidente de Mercadona es haber tenido cuatro hijas y ningún hijo, pero lo cierto es que no son pocos los casos de empresas familiares donde, siendo mujeres la mayoría de los herederos, quienes se sientan en el consejo de administración son los yernos. Los ocho miembros del consejo son Juan Roig (presidente); Hortensia Herrero (vicepresidenta); las cuatro hijas del matrimonio, Hortensia, Carolina, Amparo y Juana; Fernando Roig y Rafael Gómez. Carolina es secretaria del consejo desde diciembre de 2008, tras la salida de Manuel de Juan.

El consejo de administración de Mercadona no cuenta ni ha contado nunca con un consejero independiente, figura que recomiendan los códigos de buen gobierno de las empresas, especialmente las cotizadas en bolsa, así como el Instituto de la Empresa Familiar, que Juan Roig presidió y de cuya junta directiva forma parte. El consejero independiente es una persona ajena a la propiedad y a la gestión diaria de la compañía, con experiencia en la administración de empresas, al que se le da un puesto en el consejo para que enriquezca la toma de decisiones y defienda los intereses a largo plazo de la sociedad por encima de los inmediatos de sus consejeros propietarios, que a veces son contrapuestos. Cierto es que todos los accionistas de la empresa tienen un asiento en el consejo de administración, no hay minoritarios a los que defender, pero no es esa la única razón que los expertos en gobernanza empresarial dan para contar con consejeros externos. Las cuatro herederas, aunque todavía no tengan participación directa, no son independientes, como tampoco lo era Manuel de Juan, ya que, si bien no tenía acciones de Mercadona, era un empleado a las órdenes del presidente ejecutivo. Un día preguntaron a Juan Roig por qué no incorporaba a consejeros independientes, a lo que respondió: «Estoy muy contento con el consejo que tengo. Como me dijo mi padre, los consejos, con dinero. No creo en los consejos de quienes no se juegan su dinero».

Cuando sí puede que hagan falta uno o varios consejeros independientes que piensen exclusivamente en el interés de Mercadona será el día que las hijas de Juan Roig y Hortensia Herrero hereden la propiedad de la empresa. Heredarán por igual, pero solo una podrá ser la máxima responsable ejecutiva. Solo una o puede que ninguna, pues Juan Roig dijo de ellas en cierta ocasión que «tienen las mismas oportunidades» que el resto de los empleados de Mercadona para dirigir la compañía, ya que «la propiedad se hereda, pero el puesto de trabajo no». Dado el sistema de ascensos y nombramientos por promoción interna que impera en Mercadona, una de las cuatro hijas de Juan Roig apunta a sucesora en la dirección ejecutiva cuando él, que cumple 65 años en octubre de 2014, decida retirarse. Pero el progenitor ha dicho que no tiene ninguna intención de jubilarse, así que hay tiempo, años, en los que pueden pasar muchas cosas.

Hortensia Roig, licenciada en Derecho, no trabaja en la empresa familiar, sino en la escuela EDEM, el centro de negocios promovido por su padre y por la Asociación Valenciana de Empresarios, que tiene su sede en un local, propiedad de los Roig, situado en el centro de la ciudad del Turia. Es secretaria general de EDEM, lo que le ha dado una proyección pública de la que carecen sus hermanas, mucho menos conocidas fuera de su ámbito social. Cada mes de marzo, en calidad de consejera de Mercadona, Hortensia acude a la rueda de prensa que su padre celebra para hacer públicos los resultados del año anterior, sentada en un lugar discreto junto a los periodistas y frente a los miembros del comité de dirección. Está casada con el también abogado Jesús Ferrer Pastor. A pesar de administrar una escuela de negocios, su escasa experiencia en Mercadona la descartaría para acabar dirigiendo el gigante de la distribución.

Carolina, melliza de Hortensia, es licenciada en Economía y, además de ser secretaria del consejo de administración, es la que más tiempo ha trabajado en Mercadona, hasta llegar a ser coordinadora de la división de Análisis de Mercado. Se trata del nivel inferior al de los coordinadores de departamento, que son los miembros del comité de dirección de Mercadona. Es decir, que si Carolina ascendiese, ocuparía un puesto de salida para suceder a su padre al frente de la compañía. Está casada con Roberto Centeno, presidente de Atitlan. Al igual que su progenitor, Carolina Roig imparte clases en EDEM.

Amparo, tercera de las hijas del matrimonio Roig-Herrero, descartó desde joven trabajar en la empresa familiar de supermercados y optó por la carrera de Arquitectura, profesión que ejerce en el despacho valenciano R Studio Arquitectos, dirigido por José Martí Cunquero, del que es socia profesional. Está casada con Antonio Cabedo Barber, hijo no primogénito de la condesa de Salvatierra de Álava, grande de España, Elena Barber Gómez-Medeviela.

Amparo tiene una vinculación a Mercadona de la que no gozan sus hermanas: es interproveedora. Su especialidad, mejor dicho, la de su esposo, que es quien dirige la empresa, son los chicles. La firma que puso en guardia a Trident al ofrecer chicles con el mismo formato a mitad de precio junto a las cajas de Mercadona nació en 2009 con la denominación Chic-Kles Vallcab. La crearon, junto con sus respectivas esposas, Miguel Valldecabres y Antonio Cabedo, que habían trabajado en la turronera valenciana Meivel. Miguel Valldecabres vendió su participación a los Cabedo-Roig en 2012 para dedicarse a otros negocios, entre ellos comprar a Enrique Bañuelos los restos de su efímero imperio inmobiliario construido alrededor de Astroc. La salida de Valldecabres llevó a Amparo Roig a aumentar su participación en el fabricante de chicles Hacendado del 16 al 39 por ciento. Los socios cambiaron el nombre a la empresa, que pasó a llamarse Chic-Kles Gum.

La pequeña de los Roig-Herrero, Juana, tiene formación para hacerse cargo en el futuro de una empresa como Mercadona, aunque ya no trabaja allí. Obtuvo el grado de Administración y Dirección de Empresas en ESADE (Barcelona), donde coincidió con quien en 2013 se convertiría en su esposo, Álvaro Otero Pérez. Juana, que durante su estancia en la ciudad Condal trabajó en Inditex y en Mango, entró en el departamento de compras de Mercadona cuando volvió a Valencia, mientras que Otero, tras pasar por varias compañías como consultor, incluida la plataforma «Lanzadera», montó en 2013 su propia firma de tecnología y consultoría de internet, Aluana Labs. Ese mismo año, Juana decidió trabajar para sí misma y dejó Mercadona para hacerse cargo de una de las empresas que Juan Roig había apoyado a través del fondo Angels Capital, la del joyero valenciano Vicente Gracia. Este prestigioso artesano, del que es cliente y amigo el matrimonio Roig-Herrero, se ha hecho un hueco en la escena internacional de la alta joyería desde que Christie's lo incluyó en 2008 entre los artistas que quería promocionar. Sus piezas, que han llegado a alcanzar precios de más de 130.000 euros, se venden en joyerías como Barneys (Nueva York), Octium (Kuwait) y CoutureLab (Londres). Con 28 años, la más inquieta y a la vez metódica hija de Juan Roig empezó así su primera aventura empresarial, con red pero sin arnés.

¿Cuánto vale Mercadona?

Varios expertos en valoración de empresas han hecho cálculos en los últimos años sobre cuánto vale Mercadona. Existen diversas formas de medir el valor de una compañía que no cotiza en bolsa. Si cotiza es sencillo saber su valor de mercado en cada momento, que es el precio al que se compran y venden las acciones, el precio de cierre diario, multiplicado por el número de acciones en que se divide el capital de la empresa. En el caso de Mercadona, lo más real que tenemos es el precio que esta pagó a Fernando Roig en 2012 por su 2,43 por ciento, que suponía valorar el 100 por ciento en 2.946 millones de euros. Era, en realidad, la cifra de fondos propios de la compañía, porque así se había dispuesto en los estatutos y así se saldó, a pesar de que en las compraventas de empresa suele pagarse un precio adicional por las expectativas de crecimiento, que en el caso de Mercadona son elevadas. La compañía vale mucho más.

El valor de la empresa valenciana si cotizara en bolsa podría calcularse por analogía aplicando a su *ebitda* (resultado bruto de explotación) los multiplicadores medios que tienen las compañías de distribución que sí cotizan en mercados bursátiles, como Carrefour, Wal-Mart, Metro, Tesco o Ahold. (Es decir, el valor total de estas empresas dividido entre su *ebitda* nos da ese multiplicador medio.) Si se estima así, Mercadona valía en 2012 casi 7.000 millones de euros. No obstante, es una fórmula de cálculo que está condicionada por la coyuntura bursátil y las circunstancias de los competidores de Mercadona, y que no tiene en cuenta el liderazgo de la empresa ni su buena salud financiera. En este sentido, son interesantes los trabajos del experto en el sector de la distribución Francisco Fernández Reguero, quien viene haciendo un seguimiento de la valoración de Mercadona por el método de descuentos de flujos de caja (DFC). En marzo de 2013 este economista y analista situaba el valor de la cadena de supermercados en 10.700 millones.

Un dato que tener en cuenta es que si un tercero pudiera comprar por separado su parte a cada uno de los accionistas, pagaría más por cada acción de Juan Roig que por las del resto, ya que el paquete accionarial del presidente es mayoritario y le permitiría tomar el control de la empresa. Ese control de una compañía tiene un precio adicional en las operaciones de compraventa, denominado prima de control.

Sea cual sea el valor de Mercadona, no cabe duda de que «el capital», quinto integrante por orden de prioridad del modelo de Gestión de Calidad Total de Roig, puede estar satisfecho de lo que le aporta la compañía. El objetivo de maximizar el beneficio es a largo plazo, como demuestra que durante dos décadas no haya cedido a la tentación de elevar sus márgenes comerciales, que son muy inferiores a la media del sector de la distribución. Menos margen ha significado, a pesar de los ajustes en costes y compras, menos beneficios que la media en relación con su cifra de ventas. El beneficio neto de Mercadona suele estar entre el 2 y el 3 por ciento de su facturación, algunos años menos. Los dueños de la empresa «solo» perciben en dividendos un 10 por ciento de este beneficio, pero a cambio tienen una compañía que cada año crece en fortaleza y valor mucho más que si llenase sus bolsillos con buena parte de las ganancias. Además, Mercadona necesita esos fondos para mantener un ritmo de crecimiento sin necesidad de solicitar ayuda bancaria, algo que pocas empresas pueden afirmar. La parte negativa es que los accionistas de la empresa valenciana están, en cierto modo, atrapados en capital de Mercadona, ya que si alguno quiere vender le pasará como a Fernando Roig, esto es, que recibirá un pago muy inferior al real, si se considera como tal el que calcularía cualquier consultora independiente a la que se encargase ponerle precio. Y por supuesto, ese pago sería inferior al de la compañía en bolsa, una posibilidad que Juan Roig descarta de plano, de momento.

Epílogo
El futuro

Si los más de treinta años de historia de Mercadona han sido fascinantes, los que están por venir se presumen inciertos y por tanto emocionantes, por muy sólido que parezca el coloso modelado por Juan Roig. Él sabe mejor que nadie que torres más altas han caído y conoce que una de las causas habituales del derrumbe de una empresa es un proceso de sucesión mal hecho. En la frontera de los 65 años, con cuatro hijas y siete nietos, que serán algunos más, el patriarca guarda silencio sobre el relevo generacional, salvo en una cosa, que a él no se le aplica el convenio colectivo de Mercadona, que fija la jubilación forzosa a los 65 años, porque no piensa jubilarse. Juan Roig tardará en retirarse, igual que Emilio Botín o Isidoro Álvarez, porque la empresa es, también en el caso de ambos, su vida y porque gracias a ella conservan poder y reconocimiento social, que es su razón de existir desde que dejaron de contar el dinero que tenían. La sucesión de Juan Roig tiene dos planos, el patrimonial y el de gestión de la empresa. El patrimonial parece claro: las cuatro hijas deberían heredar a partes iguales el 78,37 por ciento de Mercadona que tienen sus padres. Sin embargo, esto llevaría, desaparecidos los actuales accionistas, a una fragmentación peligrosa del capital, con numerosas combinaciones para formar mayorías entre varias de ellas con sus primos —Fernando Roig tiene dos hijos— y los Gómez. Y están los yernos. A Juan Roig le preguntaron en una charla hace años, serían las chicas solteras entonces, que cómo iba a organizar la sucesión, y respondió, medio en broma medio en serio, que no quería dejar la empresa en manos de sus hijas porque «luego te llega un yerno y te la arruina». Los yernos han ayudado a hundir cientos de negocios familiares, por eso él tuvo muy claro que en el consejo de administración se sentarían las herederas, no sus esposos. Y en las fundaciones también, la familia Roig Herrero y nadie más. Desde fuera apuntan que el patriarca está rumiando una solución inspirada en la que adoptó en El Corte Inglés su fundador, Ramón Areces, quien al morir en 1989 legó la mayoría del capital de la empresa a la Fundación Ramón Areces, presidida por su sobrino Isidoro Álvarez. Areces no tenía hijos. En el caso de Mercadona, la solución podría ser que Juan Roig legara su 50,66 por ciento del capital a una fundación cuyo patronato formarían sus hijas, de manera que el control de la compañía seguiría siendo único, blindado contra disputas accionariales. Las cuatro herederas recibirían la participación de Hortensia Herrero a título personal, casi el 7 por ciento cada una.

En el plano de la gestión, Juan Roig no tiene un Pablo Isla o un Dimas Gimeno, pero acabará necesitándolo. Pablo Isla es el número dos que Amancio Ortega designó en Inditex cuando cumplió setenta años y que lo ha sucedido en la presidencia cuando se acerca a los ochenta. Por su parte, Dimas Gimeno fue elegido en 2013 director general de El Corte Inglés, cargo que no existía hasta que su tío, Isidoro Álvarez, a los 78 años, decidió que había que ir buscando un sucesor. El presidente de Mercadona es catorce años más joven. Si quisiera que tomase el relevo alguien de la familia, Carolina sería la sucesora natural. El patrimonio se transmite pero la pasión no, y para gobernar un barco como Mercadona Carolina habría de demostrar no solo aptitud, sino el entusiasmo que manifiesta Juan Roig cada día que va a trabajar.

Mercadona se enfrenta a otros desafíos más inmediatos que la sucesión. El mundo de la distribución continúa cambiando y la empresa debe afrontar retos aplazados, como el de la internacionalización. La compañía estuvo a punto de comprar en 2010 la cadena italiana Esselunga, aquella en la que Paco Roig se fijó para transformar las carnicerías en supermercados, pero el anciano patrón de la empresa milanesa, Bernardo Caprotti, pidió 2.000 millones de euros y luego se metió en una guerra accionarial con sus hijos, así que Juan Roig aplazó la salida de Mercadona porque en su propio país había mucho que hacer. Sin embargo, quedarse en España es un riesgo para cualquier empresa de distribución, debido a la saturación de oferta y el estancamiento del consumo, sin perspectivas de que aumente a medio plazo. En estas circunstancias, para que unos crezcan otros tienen que decrecer. La competencia es feroz y las compañías del sector cierran supermercados no rentables todos los años, incluida Mercadona. Pero también los abren, en una sociedad cada día más digitalizada en la que las compras por internet ganan cuota inexorablemente, sin prisa pero sin pausa. Si el consumo no crece y parte de él se desplaza a las tiendas online, cabe preguntarse hasta cuándo hay que seguir abriendo supermercados. Seguro que Juan Roig ya se lo ha preguntado.